常識として知っておきたい日本語

東京大学名誉教授
柴田 武

幻冬舎

常識として知っておきたい日本語＊目次

PART-⑥
楽しさを演出する日本語
「千両役者《せんりょうやくしゃ》」「酒《さけ》の肴《さかな》」
115

PART-⑦
悲しみをともなう日本語
「閑古鳥《かんこどり》が鳴く」「つれない素振《そぶ》り」
135

PART-⑧
驚きと関連する日本語
「豹変《ひょうへん》する」「藪《やぶ》から棒《ぼう》」
163

PART-⑨
人生の機微をめぐる日本語
「いわくつきの人物」「世間《せけん》ずれのした男」
193

PART-⑩
話に花が咲く日本語
「鎬《しのぎ》を削《けず》る」「丹精《たんせい》を込《こ》める」
227

あとがき／索引

●装幀――水谷武司
●装画・扉画――北斎漫画
●編集協力――(株)元気工房

PART-①

微苦笑をさそう日本語

「箱入り娘《はこいりむすめ》」「ないしょ話《ばなし》」

「箱入《はこい》り娘《むすめ》」

どんな箱に入っている？

昔、平たい箱の中に、父、母、兄、娘などと書かれた駒が並び、わずかのすきまを利用して駒を動かしながら、決められた位置まで〝娘〟の駒を移動させる遊びがあった。いまもこれとよく似たゲームがあるようだが、この遊びが「箱入り娘」の語源だといわれている。

「箱入り娘」は**たいせつに育てられ、結婚という決められた日まで箱、つまり家から出してもらえない**わけだ。いまどきのお嬢さんは活発だから、親たちは娘が大学へ行くようになると、マンションという〝箱〟に入れようとするが、じっとしているかどうかは心もとない。

「いなせ」な男

なぜかかっこいい？

時代劇には、〝一心太助〟のように、生きのよい若者を主役にしたものも多い。そんなドラマを見る機会があったら、彼らの髷《まげ》に注意してもらいたい。髷がピンとはねあがっているならば、文字どおり「いなせ」な若者のドラマになるだろう。

〝イナ〟とはボラの幼魚で、この魚は出世魚といわれてオボコからイナ、そしてボラ、トドと名を変えていく。トドは〝トドのつまり〟でこれが最後の名前になるが、**イナはその中で出世のトバぐちに当たる。そのイナの背ビレのような髷**を〝いなせ髷〟と呼んだ。だから、「いなせ」とは単にかっこうがいいだけではなく、**将来有望な若者のこと**だ。

「おもはゆい」はゆいとはかゆい？

私たちの少年時代は、好きなひとがいても、手紙はおろか、直接声をかけることなどなかなかできないほどみな純情だった。電車の中などで、偶然のチャンスで口をきくことができても、「おもはゆく」て、相手の顔など見られなかったものだ。

しかし、相手の顔が見られないというのは、この「おもはゆい」という言葉からして当然のことなのだ。〝面映い〟と書き、〝映い〟は〝まぶしい〟の意だから、**相手と顔を合わせるとまぶしく感じるさま**を言う。顔がかゆいような感じがすることだ。〝しおはゆい〟は、塩で口の中がかゆいような、しびれるような感じになることである。

「奥手《おくて》」

大器は、やはり晩成か？

コシヒカリ、ササニシキをはじめ、日本で栽培されている稲は二百種以上あるそうだが、農家の人気が高いのは、九月上旬に収穫できる〝ワセ〟の品種だという。晩秋に収穫できる〝オクテ〟にくらべて、味は落ちるが、収量が多いのだそうだ。

稲に限らず、植物の中で**生長、成熟の早いのを早生《わせ》、遅いものを「奥手」といい、転じて、人の成長の遅い**のも「奥手」と言うようになった。〝て〟はただ〝そのもの〟の意味だが、成長は人に後《おく》れて目立たなくても、「奥手」の人には、味わいのある人が少なくない。とくに女の子が大人びるのなど、少々「奥手」なくらいのほうが可愛いらしい。

「ちょっかい」を出す

どこから、何を出すのか？

いくら美女だからといって、見知らぬ女性に「ちょっかい」を出すとろくなことにならない。へたをするととんだ大ケガを負うことになる、というのが世間一般の通り相場だが、これはこの言葉のそもそもの意味からいっても当然のことなのだ。

「ちょっかい」の〝かい〟は〝掻《か》い〟からきたと言われ、**手足の曲がった状態、とくに猫が前の片足でものを掻き寄せるような動作**をすること。だから、海千山千のメス猫のような女性に「ちょっかい」を出しても、相手の前足の得意技である本来の〝ちょっかい〟の一撃をくらい、全身掻き傷だらけで退散するのがオチだろう。

「ないしょ話《ばなし》」どこにもない話?

『徒然草《つれづれぐさ》』で有名な兼好《けんこう》法師は〝物言わぬは、腹ふくるる業《わざ》なり〟と言ったが、〝口は禍《わざわい》の門〟という諺《ことわざ》もある。どうも現実は、言いたいことを腹のうちにおさめておいたほうがよさそうだ。とくに、「ないしょ話」は、時として尾ひれがついて広がることがあるから、警戒を要する。

もともと、「ないしょ」は**「内証《ないしょう》」からきた言葉で、仏教では、〝真理を悟る〟という意味**に使われている。その〝悟った真理〟は、表に出さず自分の心に秘めておくべきことで、いくら小声で話すとはいうものの、その内容は〝他人にこっそり話す〟ような軽いことではないはずだ。

「絶倫《ぜつりん》」

誇るべき能力、それとも？

毎年、NHKの大河歴史ドラマが話題になっているが、週刊誌などを見ると、やれ側室が何人いただの、子どもの数は何人だっただの、もっぱら下世話な話に終始している。しかし、これでは「絶倫」だった英雄たちに失礼というものだ。

「絶倫」とは、**〝技術や力量が、人並みはずれてすぐれている〟〝群を抜いている〟ということ**で、動物的な種族保存能力がすぐれている、という意味はどこにもない。そもそも〝倫〟は、〝ともがら〟〝仲間〟のことで、仲間からとびぬけて（絶）すぐれているから「絶倫」なので、一部の特殊能力だけで「絶倫」というのは、色を好むから英雄だというのと同じだ。

「奥床《おくゆか》しい」女性

奥のほうにいる女性のこと？

〝新婚旅行では、子づくりに励んできました〟と取材に答えたアイドル歌手がいるそうだ。うら若い女性がこんなことを、人前で堂々と言う時代になったのだろう。もう「奥床しい」女性など、絶滅しかかっているのかもしれない。

「奥床しい」とは、深い心遣《づか》いが見えて、なんとなく心をひかれることだが、もともとは、**その奥にあるものに心をひかれて、もっとその先が知りたい**という意味だ。〝ゆかし〟は〝行かし〟で、〝知りたい〟ということ。プライベートまであからさまに語る女性は、私のような年の者は、〝もうそれ以上知りたくない〟と思ってしまう。

「派手《はで》」どんな形の手？

三味線は、江戸時代から広く庶民に親しまれてきた楽器の一つだ。ふつうは、三本の糸を撥《ばち》で弾くが、爪で弾く演奏法もあり、さまざまな音色《ねいろ》をかなでてくれる。

なかでも、〝細かくにぎやかな弾奏〟は、従来の手法を〝破った〟曲風といわれ、〝破手《はで》〟と言った。〝手〟とは、もともと三味線の〝旋律〟のことで、そこから、**〝目立ってはなやかな旋律〟を〝はで〟**と呼び、「派手」の字を当てた。

「派手」が型破りなところから、「派手」は**一般に品のないけばけばしさを指す**ようになった。現代は「派手」な演奏を好む人が多い。

「フリの客《きゃく》」

フリーでタダの客?

昔、月光仮面というヒーローがいた。主題歌に、〝疾風《はやて》のように現われて、疾風のように去っていく〟とあったが、風のように現われるのは、何も正義の味方ばかりではなく、**フラリと風のように店に入ってきた一見《いちげん》の客**もそうだ。

もっとも、こちらは疾風というわけではなく、どちらかといえば頼りない風で、一見を意味する「フリの客」とは、**〝風(ふり)の客〟がその語源**だといわれている。「フリの客」は適当にあしらわれることがあるが、どんな振りの客でも客には違いないからたいせつにすべきだ。ましてや、「フリの客」を〝フリーの客〟(ただの客)と勘違いしてはならない。

「カマトト」

カマボコの材料は?

おそらく、カマボコが何でできているかを知らない人はいないだろう。白身魚の肉を刻んですりつぶし、食塩、みりん、砂糖、片栗粉などといっしょにこね、それを板に盛って蒸すという製造工程までは知らなくとも、白身魚が原料であることくらいは、常識といっていい。

ところが、その昔、〝カマボコはトトト（魚）からできているの？〟とたずねた女性がいた。そこから、「カマトト」とは、**わかりきっていることを知らないふりをして聞くこと**の意味になったといわれている。主として女性に対して使われるのは、純情さを美徳とする文化があったからだろうか。

「お袋《ふくろ》」どんな母親？

いわゆる〝お袋の味〟も人によって違うようで、きんぴらや煮物でなく、ビーフシチューが〝お袋の味〟だと言う人もいる。「お袋」にもいろいろタイプがあるわけだが、この言葉の語源についても、昔からさまざまにいわれてきた。

たとえば、母は家計をあずかり、金銭などを袋から出し入れする締めくくりをするからという説、子どもは**母親の胎内にいるとき、胞衣《えな》に包まれ、袋に入ったような状態でいる**から、この袋を指すという説、母は子どもをふところに抱くので、オフトコロからきた説などである。

どんなにきびしい母親も、「お袋」と呼ぶと急にやさしくなるような気がする。

「ちょうだい」　正式な「ちょうだい」とは？

しつけがきびしかった私たちの子ども時代と違って、近ごろの子どもは、〝これ、ちょうだい〟〝あれ、ちょうだい〟と気軽に人にものをねだる。そして、口では〝ありがとう〟と言いながら、ふんだくるように持っていく。どうも最近の子どもは「ちょうだい」するときのマナーがわかっていない。

「ちょうだい」は、「頂戴」と書かれるとわかるように、**両手で受けて、〝頂〟つまり頭のてっぺんに〝載《の》せる〟**こと。してみると、ずいぶんうやうやしい所作《しょさ》だったわけで、これは小さいときからしつけないと身につかない。けっして、軽々しい言葉ではないのだ。

「巷《ちまた》」の灯《あか》り　どこかの港のこと？

知人の僧侶が昔をなつかしんで、こんな話をしてくれた。学生時代、お坊さんになる修行のため山の中に数カ月間こもったが、夜になると、ふもとに見える赤い灯《ひ》が恋しくて、まじめな友だちと〝別れて〟、〝赤ちょうちん〟の灯の誘惑に負けてしまったという。

ともかく、「巷」の喧騒《けんそう》が忘れられなかったというが、夜の「巷」は、友だちと別れる分岐点ともいえる。というのは、「巷」とは、道がいくつかに分かれるところという意味があり、そこから**〝街中のにぎやかな場所〟〝世間〟を指す**ようになったからだ。友だちとは、どこまで付き合うべきか。

「ままならぬ」

バーのママのこと?

歌謡曲の歌詞に、〝ままになるならもう一度、ひと目だけでも会いたいわ〟というのがあり、この〝まま〟のことをバーのママだと、長いこと思い込んでいた人がいた。その人も長いこと水商売をしていた女性だったから、よほどママになりたかったのだろうと思ったものだ。

ママになりたかったのに、「ままならず」ママになれなかったということになるが、こちらの〝まま〟は古い言葉の〝随《まにま》に〟、つまり随意にということで、**思いどおり、物事のなりゆきにまかせること**から来た。世の中、思いどおりにいかないことばかりで、ママになれない彼女も他人事《ひとごと》ではない。

「市松模様《いちまつもよう》」

どんな松の模様のこと？

暴力団とつき合ったという理由で、謹慎させられたり、記者会見でおわびをさせられたスポーツ界のスターがいる。スターの影響は、意外に大きい。私たちの世代にはなつかしい〝慎太郎刈り〟、〝真知子巻き〟の例のように、流行を作ることもまれではない。

「市松模様」も、江戸中期の歌舞伎スター、佐野川市松がはやらせたものである。ご存じのように、**黒と白とを交互に並べた碁盤目《ごばんめ》の模様のこと**だが、市松がこの模様のかみしもを着て、大流行させた。スターと同化したいというファンの心理は、昔も今も変わらないようだ。真似される側にとっては息苦しいだろうが、これも有名税の一つである。

「取沙汰《とりざた》」する

沙汰とは何？

現代のような情報過多時代では、何よりもたいせつなことは、重要な情報とそうでないものを選《よ》り分けることだといわれる。

いかにも情報化時代に特有なものに見える、このような問題も、じつは古くからある。

「取沙汰」するとか〝ご無沙汰〟の〝沙汰〟はふつう〝たより〟〝評判〟といった意味で使われるが、もとは砂金や米に混じった砂を水でゆすって取り除くことをいった。〝淘汰《とうた》〟というのと同じ〝選り分け〟作業だ。ここから、**物事を処理することを言うようになり、現在の〝噂する〟の意味**になった。とやかく噂をしたがる井戸端会議は、じつは「取沙汰」会議というべきものだ。

「ハイカラ」 何が高い？

航空網の発達もあるのだろうが、最近は気軽に海外旅行を楽しむ人が多くなり、ハワイへ行ったなどというのは自慢にもならないようだ。しかし、明治三十年代に〝洋行帰り〟といえば、それこそたいへんなことだったのである。その人たちが、当時**欧米で流行していた high《ハイ》 collar《カラー》（たけの高い襟《えり》）**やネクタイ姿で、銀座あたりをこれ見よがしに歩いていた。これを皮肉って、石川半山という毎日新聞の記者が「ハイカラ」と呼んだのがこの流行語のはじまりという。

ハイカラもハイヒールも、おしゃれの要素として歓迎されているが、それよりも円の高いのが海外旅行者には喜ばれるようだ。

「じゃじゃ馬《うま》」どんな馬？

シェークスピアの名戯曲の一つに、『じゃじゃ馬馴《な》らし』があるが、この邦訳はいい得て妙だ。原題は『The Taming of the Shrew』で、shrewを直訳すると〝口やかましい女〟で、〝馬〟の意味はどこにも出てこない。飼い馴らすのは、馬ではなくてあくまで女性だ。**〝あばれ馬〟のように〝口やかましい女〟**を「邪々馬《じゃじゃうま》」と書くと、その感じが手にとるようにわかる。

〝野次馬〟や〝付け馬〟などと同様、可愛げのない馬の一つだが、調教師に馴れるにつれて、可愛くなってくるのだ。この『じゃじゃ馬馴らし』、シェークスピアと並んで、訳した人の功績が大である。

「初夜《しょや》」お坊さんは初夜に何をする？

お坊さんから、〝拙僧は、初夜のおつとめは欠かしません〟と言われてびっくりした人がいる。だれだって「初夜」と聞けば、新婚の夫婦が迎える初めての夜と思ってしまう。それを欠かさないとは、どういうことかと首をかしげるのも当然だ。

実は、仏教では一日を、晨朝《じんじょう》・日中・日没・初夜・中夜・後夜《ごや》の六つに分けており、初夜とは**午後八時から九時ごろ、または、その時間に行なう読経《どきょう》**などのことを言う。

つまり、一年三百六十五日、「初夜」は存在するわけだが、お坊さんが新婚旅行に行ったら、どうなるのだろうか？

「年増《としま》」

年増の男はいないの？

最近の若者に言わせると、二十歳《はたち》を過ぎた女性はもう〝おばさん〟なのだそうである。今の子はなんてことを、と思われるかもしれないが、じつは若者の言うこと、そう的はずれでもないようだ。

江戸時代には、**二十歳前後の女性を年増といい、三十歳ごろまでを中年増、それより上を大年増**と言った。いまより十年以上も早かった。というのも、当時の女性は嫁入り後や産後などに歯を黒く染めた。このお歯黒の女性を「年増」と称したから、ずいぶん若い「年増」がいたのである。現代女性の婚期も、早い人はかなり早まっている。黒いマニキュアもあることだ。そのうち新「年増」が登場するかもしれない。

「紅葉狩《もみじが》り」

紅葉をうちおとすこと？

日本人は、じつは狩猟民族なのではないかと思うほど、〝狩り〟を使った言葉が多い。〝鷹狩り〟〝鹿狩り〟といったものならともかく、〝まつたけ狩り〟のように、直接〝狩り〟とは結びつきそうもない言葉もある。その最たるものが、秋に紅葉を楽しむ「紅葉狩り」だろう。

あちら、こちらと紅葉を観賞して歩くことを、狩りにたとえたのだ。春に桜を観賞する〝桜狩り〟も同様だ。もっとも、なかには、〝狩り〟も〝刈り〟も同じとばかり、枝を二、三本折って持ち帰る者がいる。こうした〝不心得者狩り〟も、ときどきはするといい。

「おしゃま」

可愛いのか、生意気か？

〝うちの娘は「おしゃま」でね〟と目を細めて話す父親がいる。可愛い娘を自慢する気持ちはわかるが、〝それじゃ、あんたの娘は猫なみか〟と聞いてくるいじわるがいるかもしれない。

というのは、この「おしゃま」、出所は〝猫じゃ猫じゃとおしゃますが、猫が下駄はいて杖ついて、絞りの浴衣《ゆかた》で来るものか〟という江戸時代の流行歌からきている。〝おっしゃいます〟をつめた〝おしゃます〟の「おしゃま」を猫の意味に用いた。さらに、〝猫〟は、人前を遠慮しないでのし歩くからだろう、**女の子の、ませた、猫のように生意気なふるまい**を言うようになった。

「目白押《めじろお》し」
〝目黒押し〟とは言わない？

東京・目黒にスーパーが開店した。開店の大安売りに、近所の主婦たちが殺到し、入口近くは押すな押すなの大盛況だった。この光景を見た店長が、〝お客さんが目白押しだった〟とつぶやいたところ、近くにいた店員が、〝ここは目黒ですから、目黒押しでしょ〟と、浮かれて言った。

「目白押し」の「目白」は、いうまでもなく鳥である。**目白は、木の枝にとまるときは、一本の枝に押し合いへし合いしながら並ぶ**習性がある。ここから、**先を争って並ぶ**ことを「目白押し」と言うようになった。

だから、鶯谷《うぐいすだに》にスーパーが開店しても、その盛況ぶりを〝鶯押し〟とは言わない。

「お転婆《てんば》」どんなおばあさん？

輸送手段として、馬がもっとも重宝されていたころ、〝伝馬《てんま》〟という官公専用の馬がいた。情報を伝達する郵政の役目を受け持つ馬で、若くてピンピン、多少、荒れ馬だったが、大いに役立ったという。

この**〝伝馬〟に〝転婆〟の字が当てられ、若くて元気はつらつ、多少はねっ返りの娘のこ**とを「お転婆」と言うようになったという説がある。〝伝馬〟ならば男に対して使ってもよさそうだし、何も〝婆〟の字を当てなくても、と思うのだが、あくまでも娘に対する専用語である。

もっとも、〝伝馬〟なみの若い女性も、やがてはしわくちゃのお婆さんになることだけはまぬがれがたい。

「一笑《いっしょう》」に付《ふ》す 笑いをどう数えるのか？

故人となった落語家の林家彦六師匠は、渋い芸風で知られた大看板だったが、よく口ぐせのように〝最近の若い連中は笑いをとりすぎる。落語なんてものは、一つの話に三回笑わせるところがあるくらいで十分だ〟と言っていたそうだ。たしかに現代は軽薄な笑いが過剰だともいえる。

笑いにもいろいろあるが、「一笑」という場合の笑いは、一回の笑いでなく、〝軽い〟笑いである。つまり「一笑に付す」とは、**笑いぐさにして問題にしない、バカにして相手にならないということだ。**

だから同じ失敗を三回して、そのたびに笑われたとき、三回目こそ「一笑」に付されてしまうのだ。

「糊口《ここう》をしのぐ」 のりで口をふさぐこと?

ホテルの朝食で、米飯よりおかゆの方が高いのは、手間がかかるためもあるが、人気のせいでもありそうだ。

そのおかゆ、昔は病人食であるとともに、少ない量のお米で、お腹《なか》を満たそうとする苦心の食事でもあったのだ。

「糊」はもと〝餬〟で、〝おかゆ〟のこと、「しのぐ」とはがまんをすることだから、「糊口をしのぐ」は、**〝おかゆをすするような生活をがまんして過ごす〟という意味**になる。となると、おかゆをダイエット食としている現代のわれわれは、何をがまんして〝かろうじて生計を立てている〟のだろうか。

PART-②

恋と愛の日本語

「蓮《はす》っ葉《ぱ》な女」「ねんごろになる」

「しどけない」

しどけって何のこと？

昔の若者は、美しい女性を見ただけでも胸がときめいた。ましてや、話しかけられでもしようものなら、〝しどろもどろ〟になったものである。最近の若者は、その程度のことではびくともしないようだが、胸元がはだけていたり、着物の裾《すそ》が乱れている「しどけない」女性だったらどうだろう。やっぱり〝しどろもどろ〟になるのではないだろうか。

というのは、「しどけない」と〝しどろもどろ〟とは同根の言葉だ。**〝型にとらわれない、乱雑な〟を意味する〝しどろ〟に〝気《け》〟がついた**のが「しどけない」だ。「しどけない」女性を見て、〝しどろもどろ〟になるのも、やむをえないのである。

「蓮《はす》っ葉《ぱ》」な女

なぜ蓮の葉だといけないの？

〝蓮〟といえば、仏教では極楽浄土の象徴のように扱われているが、江戸時代、この〝蓮の葉〟を悪用した商人がいた。これを〝蓮葉商い〟といい、今でいう〝霊感商法〟のようなものだ。

彼らは、盆の供物《くもつ》の物盛りに使う、〝蓮の葉〟のような〝際物《きわもの》〟を専門に扱う商人で、その場限りの際物を、仏様の名をかたって、さもありがたい商品であるかのように偽《いつわ》ってボロ儲けした。そこから、**〝ほんとうでない女〟〝浮気で軽薄な女〟**を「蓮っ葉」な女と言うようになったという。

現代では、「蓮っ葉」な男もいるに違いない。

「マメ」な人

何のマメのこと？

女性にもてる男性の条件といったものをあげるとき、経済力や見てくれのよさをさしおいて、いつもトップの座を占めるのが〝マメマメしさ〟であるという。なぜ、「マメ」な男が女性からもてるのかについては、女性心理、社会心理上のもっともな理由があるのだろうが、言語学的にみても一理はある。

それは、「マメ」という言葉が、**〝真実《まみ》〟〝正身《まみ》〟といった言葉から生まれた**のではないかといわれるからだ。下心まる見えとか、女々《めめ》しいとか、悪口を言われながらも、マメマメしく女性につくすには、やはり相当の心の真実、身も心も捧げる覚悟が必要ということだろうか。

「きめ」細《こま》やか

きめとは何のこと？

漫画のヒーロー〝鉄人28号〟をもじった〝別人18号〟という流行語がずっと以前にあった。退社時間がくると、別人のように生き生きとして化粧室にかけ込む女子社員のことである。同僚が残業していようといまいとおかまいなし。上司の命令も聞かず、〝バイバイ〟と帰っていく。周囲に対する「きめ」細かな配慮など、まるでない。

「きめ」とは、**木目や、人肌の表面のような細かなあや、手ざわりのこと**を言う。こういう繊細な気配りを欠いた女性は、肌の手入れだけは熱心だが、心の手入れを怠っているのかもしれない。もっとも最近は、化粧する男性が増えているそうだが。

「焼《や》け木杭《ぼっくい》」に火がつく

どうして火がつくのか？

恋は邪魔されればされるほど、燃え上がるものらしい。「ロミオとジュリエット」ではないが、障害がかえって二人の仲に火をつけたという話はいくらでもある。大火傷《やけど》をするからやめなさいといくら言っても、聞く耳を持たない。別れたはずと思っていたら、道でバッタり再会、いつのまにかよりを戻してしまうのだから、男女の仲はわからない。

もっとも、**一度火のついた杭や切り株などは、〝火が消えたように見えても、中に火の気が残っていて、何かのはずみでまた燃え出す〟**ことがある。これが「焼け木杭」だが、一度火のついた男女の仲も、なかなか消えないものらしい。

「ねんごろ」になる　いつの〝ごろ〟か？

近ごろの男女は、仲良くなるのが早いという。初対面で意気投合など、珍しくもないらしい。ところが、一見、深い仲に見えるが、じつは単なる友人同士、というのが少なくないのだそうだ。

昔の人は、仲のいい男女を見ると、すぐに、「ねんごろ」になったなどと言ったが、かならずしも今の若者には、これはあてはまらない。

「ねんごろ」とは、〝根も凝《こ》ろ〟から変化した語で、**根が入り組み、凝りかたまっている**という意味。それが転じて、**心がかよい合い、仲睦《むつ》まじい様子**を指すようになった。今の男女、枝はからんでいても、根（心）まで通じ合わせているとは限らないようだ。

「駈《か》け落《お》ち」する

歩いていっても駈け落ちか？

口ほどにないことを言う人というのは、いつの世にもいるもので、〝首をかけて〟やらせてくれといった仕事がうまくいかなくても、ケロッとしてまた別の仕事に取り組んでいる。

では、いっしょになれないなら「駈け落ち」すると言って親をおどし、口だけだと思っていたらほんとうに駈けて出て行ってしまったというとき、この二人は口ほどにあるのだろうか。じつは、「駈け落ち」は**〝欠け落ち〟とも書き、戸籍台帳から欠け落ちること**を言う。いくら〝駈け〟て逃げても、戸籍から欠け落ちるほどの覚悟がないと、いずれは口ほどになく、おめおめと戻ってくるのだ。

「悩殺《のうさつ》」

どんな悩みで殺されてしまうのか？

私が若いころは、女性の着物の裾《すそ》がチラッとはだける姿を見るだけで、簡単に「悩殺」されてしまったものだが、かといって、倒れてあの世へ行ってしまった、というわけではない。

「悩」は〝悩ます〟ことだが、「殺」は〝殺す〟ことではなく、〝殺到〟〝忙殺〟〝黙殺〟などと同じで、〝ひどいことをする〟の意。殺到すれば、死者が出るかもしれないが、この「殺」は〝殺す〟とは無関係だ。

「悩殺」は、**ひどく悩ます**ことで、〝悩殺ポーズ〟という言葉もあるように、とくに**女性が性的魅力で男を悩ます**ことを言う。しかし昨今は、直截《ちょくせつ》的な性の氾濫《はんらん》で、そんなポーズも少なくなっているようだ。

「うがったこと」を言う

「うがつ」とは？

女性に、〝この前は、失礼ながら靴下に穴があいていましたね〟などと言って、相手の心臓に針で穴をあけるようなショックを与える人がいるらしい。しかし、こんな「うがったこと」を言うものではない。

〝うがつ〟は**〝穴を掘る〟ことから、〝こまごました、人の気づかない点を指摘する〟**ことを言うようになった。もともと他人についていうのだが、近ごろでは、自分のことについても〝これはうがった考えですけど〟などと使う。こういう人は、〝うがった見方〟をすれば、自分を冷静に批評できる自信家ということになる。

「ポン引《び》き」

どんなタイプが狙われる?

アメリカに長く滞在した友人によれば、ニューヨークやロスでは、歩き方に気をつけないと、恐喝などの被害にあうという。最悪なのは、いかにもお上《のぼ》りさん然として、キョロキョロしながら歩く人。ボーッとして歩くのも危ないそうだ。

ニューヨークならぬ日本の歓楽街で、そういう歩き方をしていれば、たいてい「ポン引き」のお兄さんに声をかけられる。この言葉、**ぼんやりしている者を引っぱって誘惑するという〝凡引き〟が変化した**ものといわれる。日本でもアメリカでも、被害をまぬがれるには、キリリとした顔で前方を見すえ、大股で歩くのがいちばんのようだ。

「はねっ返《かえ》り」

どこまではね返る?

テニス人気は相変わらずおとろえないようだ。

熱心な人は、コートがとれないときも、いわゆる〝壁打ち〟といって、壁に向かって一人でボールを打ち返している。しかし、テニスボールばかり追って男性には目もくれないと、

「はねっ返り」と言われかねない。

「はねっ返り」は、文字どおりボールなどが跳ね返るようすから、**勢いのいいお転婆娘のこと**をいう。そんな「はねっ返り」女性は、打ち返すボールもなかなかのもので、相手の男性もそれを〝はね返す〟のに汗をかくほどだ。

「許嫁《いいなずけ》」 いい婚約者のこと？

その昔、日本では、結婚の決まった男性は、誓約《せいやく》のしるしとして、縄を結んだ標縄《しめなわ》を女性側に提出したという。

この**〝標縄〟で結ばれた婚約者**を〝結縄付《ゆいなわづけ》〟、すなわち「許嫁」と呼ぶようになった、という説がある。

昨今の高価な指輪を贈る習慣からすると、縄を結んだだけの「許嫁」とは淋しい感じもするが、昔は**結び目に神が宿る**と信じられていた。ひもや帯の結び目には、その家その家の祖霊神が宿っていたのだから、縄を結いながら誓った男女の結びつきを裏切ることは、神をも裏切るに等しかったのである。

「首《くび》っ丈《たけ》」

首の長さと愛の関係とは？

男性にネクタイを贈ると、それは〝あなたに惚《ほ》れている〟という意味になるそうだ。女性にネッカチーフをプレゼントすることも、同じ意味になる。なぜか、首に関係のある品が愛情の表現になっているが、これも〝日本語〟から見ると当然かもしれない。

すっかり惚れ込むことを、「首っ丈」と言うが、もとは「首丈」、つまり足もとから首までの丈からきている。転じて**〝首までどっぷりつかる〟**の意になった。つまり、**私はあなたに〝どっぷりよ〟**というわけだ。ネクタイやネッカチーフのプレゼントをして、一度でも裏切ると「首っ丈」の愛が、「首っ丈」の憎しみに変わって、首を絞められかねない。

「口説《くど》く」

言葉を惜しんでいたら、口説けない？

最近の若いカップルは、初めてのデートのときから急接近するケースが多いという。私たちのころには、考えられないことだ。これでは始発駅が終着駅で、道中を楽しむことなどできない。言葉を惜しむようになったのだろうか。

「口説く」という言葉は、〝**くどい**〟〝**くどくど**〟**などと同源**と思われるが、相手がだれであれ、**話して相手を説得したり納得させる**ので、言葉数は多くならざるをえない。この「口説く」手間を惜しむ最近の若者には、苦労して相手の同意を得たときの喜びの大きさや感激の深さはわかるまい。

「刺身《さしみ》」 切るのになぜ〝刺す〟か？

日本人だけのものと思っていた「刺身」が、いまやダイエット食として外国人にも大モテである。日本語を習い始め、「刺身」も食べ始めたアメリカ人に、「刺身」は魚をカットするのに、なぜスティング（刺す）というのかと聞かれ、とっさに答えられなくて、のどに魚の骨がつき刺さった思いをしたことがある。

「刺身」は忌《い》み言葉だという説がある。〝**切る**〟**という言葉を嫌って**〝**刺す**〟**と言いかえた**のだろうという。なるほど、婚礼などのおめでたい席で〝切る〟は禁句だ。それでも離婚するカップルが多いのは、〝刺身〟でなく〝切身〟を食べすぎたのか。

「三下《みくだ》り半《はん》」

何が半分なのか?

江戸時代の男性には、泰西《たいせい》の騎士道を思わせるダンディズムがあった。たとえば離婚に際して出される〝離縁状〟だ。〝離縁〟と言うと、夫が一方的に妻を追い払うものと思われがちだが、〝離縁状〟には、離婚するという主文と並んで、妻の再婚を許可する旨《むね》の文言も記されてあった。縁が切れる女性のその後の幸福をも願っているわけだ。「三下り半」という言葉が**離縁を意味する**ようになったのは、そうした**文面を三行半で書くのが慣行だったため**。

それにしても、女性から「三下り半」をつきつけられたのに、いつまでもグズグズつきまとう現代の男とは大違いだ。

「焼《や》き餅《もち》を焼《や》く」

こげすぎは、やはりまずい?

〝上州名物は、かかあ天下に空《から》っ風〟と言われる。群馬県はかつて養蚕《ようさん》が盛んだったが、この養蚕を支えていたのが主婦たちだったから、女房族の鼻息は、空っ風のように荒かった。その群馬県のもう一つの名物が〝焼き餅〟だ。

一般に、「焼き餅を焼く」とは、嫉妬《しっと》することだ。嫉妬することを〝妬《や》く〟といったので、そこから、**〝妬く〟を〝焼く〟**に引っかけ、**気持ちを〝餅〟**と言って添えた「焼き餅＝妬き気持ち」という言葉が生まれたようだ。群馬県の女性が嫉妬深いかどうかは知らないが、こんがり焼いて味噌をつけて食べる焼き餅の味はなかなかだ。

「お伽話《とぎばなし》」

伽とは何のこと？

最近の子どもは、女より男のほうが母親離れが遅いという。いつまでも幼児性が残っていて、うっすら口ひげがはえる年齢になってもまだ、母親がいないと何もできない子がいるという。こういう男の子が、もし〝お母さん、今晩お伽話して〟とねだるようだと、幼児性とはまた違った問題が出てくる。

というのは、〝伽〟はもともと、**添い寝し、寝室での相手をする**ということだからだ。話し相手をしてつれづれを慰めると同時に、夜のお相手もつとめるということだ。ただでさえ、マザコン急増といわれる昨今、いい年ごろの男の子が母親に「お伽話」をせがむとしたら、やはりこれは放っておけない。

「腐《くさ》れ縁《えん》」

腐ると縁が切れるのでは？

男女の心中死体が見つかった。二人は許されぬ間柄で、男女の見分けもつかないほど腐乱していた――などという記事にお目にかかることがある。そこから連想したのかどうか、男女の仲を「腐れ縁」と言ったりする人がいる。

腐乱死体うんぬんはともかく、〝腐った縁〟なら切れてもよさそうなものだが、そうはいかないのがこの〝縁〟のやっかいなところだ。じつは、この場合の**〝くされ〟は〝鎖《くさり》〟の意味もあり、鎖でしっかりつながれているような縁**のことを言う。中でも男女のあいだの鎖は、格別に太くて強いようだ。少々さびつくことはあっても、なかなか切れない。

「もってのほか」

何のほかなのか？

かわいい娘が、駈け落ちに走るなど、世の親は〝考えてみたこともない〟に違いない。〝恋は思案のほか〟とはいえ、今の世の中は、考えてもいないことが日常茶飯《さはんじ》事のように起こるのだから、〝とんでもない〟ご時世になったものだ。

娘の危なっかしい恋など、男親にしてみれば「もってのほか」だが、これを〝思外〟と書き、〝おもってのほか〟と読んだという説がある。そこから、**〝とんでもない〟〝けしからぬ〟という意味**に使われるようになったらしいのだが、一説によると、世の進歩は常識を超えた〝思外〟から始まるという。果たして今は、進歩の前ぶれなのか、崩壊の前兆なのか。

「下手物《げてもの》」上手物《じょうてもの》もあるの？

ある青年が、好きな女性のタイプを聞かれて、〝背が低く、太っていて、ブランド物が嫌いな、田舎の女性〟と答えたところ、〝お前は下手物趣味だ〟と笑われたそうだが、これはおかしい。たしかに、「下手物」というのは**〝人の手をあまり加えない、安くて質素な品物〟を言い、転じて〝風変わりな物〟**を指す。

だからといって、きちんと作られた高価な〝上手物〟が好きだというのが、かならずしもいい趣味だとは言えまい。夜の巷《ちまた》には、人の手がたっぷり入った整形美人や、高級衣装を身にまとった化粧美人がたくさんいるが、そうした女性が好きだというのが果たしてほめられることなのか。

「水商売《みずしょうばい》」

酒を売るのになぜ水か？

知り合いの飲み屋は、いつ行ってもはやっているのか、はやっていないのかよくわからない。あるときは身動きできないほど混んでいるかと思うと、あるときは一晩じゅう、客一人ということがある。そこで、おかみに、〝この店はほんとうに水商売らしい店だね。コンテストでもやったら一位になるんじゃないか〟と言ったら、ほめられているのかけなされているのかわからないとボヤいていた。

飲食店や待合《まちあい》などは、**客のひいきで成り立ち、流れる水のように収入が不確か**なので「水商売」と言うのだが、それを知らずに脱サラでひと儲けしようなどというのは〝むこうみず商売〟というところか。

「思《おも》うつぼ」

魔法のつぼがあるのか？

女性の生き方は、二極分化しているらしい。男性と互角に仕事をしていこうというキャリアウーマンがいるいっぽう、〝玉《たま》の輿《こし》〟こそ女の幸せとばかり、結婚にやたら真剣になる女性も多い。

後者の女性たちは、いったん目をつけた男には、結婚できるまであの手この手で迫る。男性にしてみれば、この手の女性の「思うつぼ」にはまって、後悔するか、ニンマリするかはバクチのようなものだ。というのも、この「思うつぼ」という言葉、**サイコロ賭博《とばく》の、サイコロを入れるつぼからきた**ものだ。結果は、つぼを開けてからのお楽しみというわけだ。

「不届《ふとど》き」 何が届かないのか?

不倫などという言葉が流行するのは、男がだらしなくなったからだろうか。しかし、亭主の稼いだ金で若い男と遊び歩き、そのくせ、いざ離婚届を差し出されると、〝慰謝料に二千万円くれるなら判を押してもいいわよ〟などとうそぶく「不届き」な女房が多いと聞けば、男の肩を持ちたくなる。

江戸時代には、礼儀をわきまえぬ行為をした「不届き」者が訴えられ、**所払《ところばら》いや追放以上の刑となった場合、本人が犯罪事実を認める口述の書類を提出**しなければならなかった。その結びは「不届之旨、御吟味を受け……」であったという。昔風に言うと、不倫は姦通罪、もちろん重罪である。

「しゃく」にさわる

何にさわるの？

落語のなかには、『疝気《せんき》の虫』をはじめとして、女房が亭主の不行跡《ふぎょうせき》に腹を立てる話が多い。だが、それで夫婦仲が破綻《はたん》するわけではなく、「しゃく」にさわるを繰り返しながらも結構うまくやっている。腹が立つときに口にする「しゃく」とは、本来、**胸や腹に起きる痙攣《けいれん》痛《つう》**のこと。もっぱら女性に多い症状、だという。

夫婦仲は他人にはうかがいしれないものだ。が、一般に喧嘩《けんか》をしているうちが華《はな》ともいえる。「しゃく」の種すらなくなっては、夫婦仲も終わりというものだろう。なお当節は、〝グチ聞き業〟というテレフォンサービスがあるとか。これを利用すれば、いっとき「しゃく」もおさまろう。

「ぐうの音《ね》」も出ない

どんな音？

奥さんに浮気の証拠をつかまれ、問いつめられたときは、何も言わないのがいちばんだと言う人がいる。下手《へた》に弁解してボロを出し、奥さんにネクタイで首を絞めあげられたら、弁解どころか、息もできなくなってしまう。

こんなとき、「ぐうの音」も出ないと言うが、この〝ぐう〟は、本来、**呼吸がつまったりして苦しいときに出る声**のことで、**苦しい状況に追い込まれたときに出す声**も指すようになった。その「ぐうの音」も出ないというのは、非を責められたりしたとき、ひとことも反論できないことで、浮気を見つけられたご亭主のように黙るしかないようだ。

「そりが合《あ》わない」

何が合わないのか？

日本もアメリカ並みに離婚が増えてきたが、その原因のトップは〝性格の不一致〟だという。このわかったようでわからない理由も、「そりが合わない」といえば、なんとなくわかったような気になる。

それもそのはずで、この〝そり〟とは、刀の峰の反《そ》っているところをいう。「そりが合わない」とは、この**刀のそりが鞘《さや》に合わない、つまり、刀が鞘に納まらない**わけだ。

夫婦の「そりが合わない」とは、まことに言いえて妙だが、たしかに、一度別れた夫婦がふたたびいっしょになることを〝元の鞘に納まる〟と言う。どちらかが刀で、どちらかが鞘というわけだ。

「もぬけのから」

人間も脱皮するのか？

男女の仲ほど不可解で、何が起こるかわからないものはない。

たとえば、本気で惚れた女性のためにせっせとお金をつぎ込んだものの、貯金がゼロに近づいたとたん、女性はドロン。部屋を訪ねてみれば、家具いっさいがなくなっていて「もぬけのから」――などという話は結構あるものだ。被害者は男性に限らず、女性の場合も、当然多い。

「もぬけのから」とは、**セミやヘビなどが脱皮した後の抜け殻**のこと。惚れた女（男）に逃げられた後の心の空洞のように、殻の中はポッカリ穴が空《あ》いている。

PART-③

棘《とげ》のある日本語

「にべもない」「ぼんくら」

「アバズレ」　男にはいないのか？

今でこそ、それぞれ男と女に対して使い分けているものの、もとは男にも女にも〝平等〟に使われていた言葉がある。その好例が「アバズレ」だ。父母と同列以上の親戚の婦人を指す中国語の〝阿婆《あば》〟に〝摺《す》れからし〟をつけたという語源説もあるが、こんなところから女性専用の言葉だと思われている。**男を手玉にとるような不良少女**を指していうが、昔は男女両方に使われたのだ。

性差別に敏感な女性のなかには、こんな言葉を使う男は許せない、と騒ぐ人がいるかもしれないが、フェミニストならまちがっても使ってはならない言葉だ。

「ふぬけ」　シャンとしないのは当然？

私の知っている医学生は、解剖《かいぼう》実習ではじめて人体を解剖したとき、ショックを受けて、その後何日間か何も手につかなくなって、「ふぬけ」同然になってしまったという。しかし、考えてみれば、これはおかしな話だ。本来、「ふぬけ」になるのは、解剖された側のはずだからだ。

「ふぬけ」の〝ふ〟は〝腑〟で、内臓のこと。このはらわたを抜き取られたら「ふぬけ」になるわけだが、そうした状態だと、どんな人でもシャンとはしていられまい。そこから、先の医学生のように、**気持ちがしっかりしていないことや意気地《いくじ》なし**のことも「ふぬけ」と言うようになった。

「にべもない」　何がないこと？

デートに誘った彼女にその気がないなら、あっさり「にべ」もなく断わってもらったほうがいいか、いかにもまだすこしは見込みがあるような断わり方をしてもらったほうがいいか。

彼女の真意はともかく、言葉のうえからいえば、「にべ」もなく断わってもらったほうがいいようだ。

「にべ」という魚がいる。体形はイシモチに似ていて浮き袋からにかわがとれる。そこから「にべ」は**人間関係の密着度の意味になり、転じて愛嬌とか愛想の意味**にもなった。だから、気がないなら「にべ」もなく断わってくれたほうが、あとをひかず、よっぽど〝鯖々《さばさば》〟するというものだ。

「ごり押《お》し」

ゴリって何のこと？

テレビスタジオのカメラには、それぞれ〝一カメ〟〝二カメ〟〝三カメ〟……と呼称がついている。元NHKの演出家でダジャレ好きの和田勉氏によると、一台だから〝カメ〟、カメラといえば、複数になるのだそうである。同様に、ゴリラも一頭の場合は、〝ゴリ〟でいいということになるらしい。

「ごり押し」の語源も、和田説を借用すれば、簡単に解釈がつくけれど、そうもいかない。**鮴《ごり》という魚を捕える方法からきた**という説と、**五里の距離をひと押しする**ことからきたという説があるが、はっきりしない。それを確定説のごとくに主張すると、それこそ「ごり押し」になってしまう。

「投《な》げやり」

これもスポーツの一種？

日本は戦後、経済大国になったものの、スポーツ小国になってしまったという声をよく耳にする。オリンピックに出ても、お家芸だった水泳をはじめ、柔道、体操など、かつての得意種目でも金メダルがなかなか取れない。こんな状況を目にして、スポーツ指導者は、もう何をやってもダメだと、「投げやり」で〝無責任な態度〟をとる人もいる。

「投げやり」の〝やり〟は〝遣る〟で、**〝なりゆきまかせに、放っておく〟**ということだが、ものごとは途中でやめては、いい結果は生まれない。いつか、〝槍投げ〟でも金メダルが期待できるかもしれない。

「成金《なりきん》」
敵陣に入れば金持ちになる？

金持ち国になった日本では、金《きん》のコップや、金の箸《はし》で食事する人も出てきたらしい。「成金」趣味の究極のようにも思われるが、「成金」という言葉は、金銀の〝金〟とは直接の関係はない。

将棋で、**歩《ふ》が敵陣まではいり込んで〝と金〟になり、金の力を発揮する**、そのことが初めだ。歩の駒のまま金の顔をするのだから、品格がない。「成金」趣味に品のいいものはない。

「成金」の「金《きん》」は、〝金持ち〟の〝金《かね》〟でもあるところから、「成金」は、〝金持ちに成る〟ことと考えられた。急に金持ちに成ると、金の使い方がわからず、まずは身近を金《きん》きら金《きん》に飾ることになる。

「面倒《めんどう》」くさい　なぜいやになる？

マンガならば、スイスイと筋が追える子どもたちも、文字ばかり並んでいる本は、「面倒」くさいとばかりなかなか読もうともしない。

「面倒」と、もっともらしい漢字で書くが、これは当て字で、〝ツラ〟とも〝倒れる〟ともまったく関係がない。これはどうも、〝見るだけ無駄な〟という意味の〝目だうな〟からきた言葉らしい。文献の上では〝見苦しい〟の意味で使われてきたが、いまや、広く、**〝することがいやになる状態〟**の意味で使うようになった。

マンガのない本は、〝見るのも「面倒」くさい〟という子どもたちに、なんとか読む楽しみを知るよう「面倒」をみたいものだ。

「二《に》番煎《ばんせん》じ」　うまくないのは当たりまえ？

あるところで、じつに〝味のある〟いい話を聞いた。ところが、別のところでまた似たような話を聞いたときは、なんとも〝味けない〟感じがした。内容的にはさほど劣っていないと思われるのに、なぜあとのほうは〝味けなかった〟のか。

じつはそれもそのはず、あとの話は「二番煎じ」だったからだ。お茶でも薬でも、最初に煎じたもの、つまり一回目に湯で煮出したものは、成分がよく溶け出して味がよく、効きめもある。しかし、一度煎じた葉をもう一度煎じても、もうたいした成分はない。一回目に煎じつめればつめるほど、その**話をぶり返しても〝味けない〟**のは当然なのだ。

ヨコに行くのがなぜ悪い？
「横行《おうこう》する」

登山で尾根づたいに峰から峰を歩くことを〝縦走《じゅうそう》〟と言う。これは歩く方角が南北であろうが東西であろうが同じなのだが、もし東西に歩くことを〝横走《おうそう》〟と言ったら、何やら遭難でもしそうだ。

日本語では、〝横〟というのは、よくよく嫌われているらしく、横のつく言葉は、〝横槍を入れる〟〝横車を押す〟〝横恋慕〟など、いい意味で使われるものはほとんどない。「横行する」もやはり同じだ。**勝手なふるまいが盛んだったり、悪事がはびこる**という意味で用いられる。とすれば、〝タテのものをヨコにもしない〟人には、それなりの理由があるということか。

「ぼんくら」

何がくらいのか？

野球選手であれば野球場、相撲《すもう》取りならば土俵の上が日ごろの精進《しょうじん》を試す勝負の場所だ。バクチ打ちなら、勝負の場は、さいころが振られる〝盆〟の上、ということになるだろうか。

「ぼんくら」は、この〝盆〟、つまり壺を伏せる場に敷くゴザに端を発する言葉だ。博徒《ばくと》が、**〝盆〟の上での勝負への洞察力が足りずに負けてばかりいる者**を〝盆に対するよみが暗い〟の意味で、「ぼんくら」とあざけったのだ。

もっとも、いくらバクチに強くとも、いつまでも賭け事から足が洗えず、まっとうな生活が送れないようなら、「ぼんくら」と言われても仕方がない。

「減《へ》らず口《ぐち》を叩《たた》く」

口はすり減るものなのか？

アリジゴクの成虫に〝うすばかげろう〟という昆虫がいる。これを〝うすばか〟まで続けて読んでしまうと、〝薄馬鹿下郎〟になって、なんのことやらさっぱりわからなくなってしまう。

「減らず口を叩く」も、〝減らず口〟と続けて読んでしまうから、「叩く」意味がわからなくなる。正しくは、「減らず」でいったん区切る。こうすれば「減らず」は副詞のように働き、しゃべり方の減らないさまの意味、「口を叩く」は唇をパクパク打ちつけて話すさまだから、**〝負け惜しみを言う〟**ことだな、とだいたいの見当がつく。そんなことはわかっていると言うのが、「減らず口を叩く」だ。

「さくら」
このさくらはどこに咲く？

江戸時代の芝居小屋では、場内の雰囲気を盛り上げるために、アルバイトを雇って役者に声をかけさせたり、大きな拍手をさせたりした。そのために用意した桟敷《さじき》を、「さくら」と呼んだ。そこから、露店などで客を装って、ほかの客の購買心をそそる仲間のことを「さくら」と呼び、より**広く〝なれ合い〟の意味**にも使われている。

「さくら」は、最近の言葉でいえば〝やらせ〟に相当する。テレビのドキュメンタリー番組には、しばしば「さくら」が登場するし、アイドル歌手の親衛隊や、夜中にラーメン屋の前にできる行列など、現代は「さくら」の花ざかりだ。

「ピンハネ」

金額は決まっているのか?

下請け業者などで、〝上前《うわまえ》を五パーセントはねられた〟とか〝六パーセントも持っていかれた〟などとぼやいている人がいる。

しかし、語源的に考えて、このぼやきは少々ゼイタクかもしれない。なぜなら、**上前をはねること**を「ピンハネ」と言うが、ピンは、〝一割〟の意。それに〝かすめとる〟のハネるがついたものだ。だから、五、六パーセントの上前は、一割もはねられていた時代に比べればマシと言えるからだ。

もし、日当一万円の契約で働いたのに、二千円も三千円もピンハネされたときは、〝せめてピンハネ程度にしてください〟と雇主に言ってやればいい。

「月《つき》とスッポン」

共通点はどこにある?

〝女房はスッポン、女郎はお月さま〟という川柳《せんりゅう》がある。これはべつに女房が、スッポンのように一度食らいついたら離さない、というのではない。

月とスッポンは、ともに形は丸いけれど、およそ似て非なるものだ。いっぽうは、およそ醜さの標本のようなスッポン、もういっぽうは美しさの象徴のお月さま、そこから、**大きくかけへだたっているもののたとえ**になった。

現代では、女性蔑視の諺《ことわざ》にとられかねない。もし女房のご機嫌をとるのなら、〝女房はお日さま、女郎はお月さま〟とでも言っておいたほうが無難である。

「お茶《ちゃ》をにごす」　どんなお茶になる？

お茶とひと口にいっても、そのいれ方はたいへん難しいとされている。煎茶《せんちゃ》にしても、湯の分量、温度、時間の三要素がうまくかみ合わなければ、最高の風味は出ないという。このお茶のいれ方がうまくいかないと苦味や渋味が出てしまって、お茶は〝濁って〟しまう。**ごまかしたり、つくろったりすること**を「お茶をにごす」というのはここに由来していて、茶道などでは礼儀作法にまで細かいきまりが定められている。

しかし、男女同権や、キャリアウーマンが主流の昨今、〝お茶をにごし〟てもいいから、もしおいしい〝お茶をいれて〟もらえれば、こんなに嬉しいことはない。

「びた」一文《いちもん》

今の一円玉もびた銭？

銭形平次《ぜにがたへいじ》が悪党を追いつめ、一文銭をつぎつぎに投げつける。平次の十八番、投げ銭だが、このテレビ時代劇を見て、〃お金をばらまくなんて、もったいないことをするもんだ〃と思った人も多いだろう。だが、彼が惜しげもなく投げられたのは、それが〃びた銭〃だったからだ。岡っ引きふぜいに、それほどお金のあるわけがない。

びた銭というのは、**質の悪い銅銭のこと**である。室町幕府は明《みん》の国の通貨にならって銭を鋳造したが、これがひどく粗悪だった。ひたすら悪い銭の〃ひたすら〃を略して〃ひた〃とし、それ以上に悪いものなので、濁音にして「びた」としたのだった。

「ないまぜ」にする

まぜることか、まぜないことか？

アメリカ流の企業の合併・買収が日本でも盛んに行なわれている。M&Aなど、シャレた言い方をするが、要は会社が拡張や新分野の進出を狙って、ほかの会社と「ないまぜ」になることだ。

ところが、買収後、なかなか組織がうまく機能しないことも多いようだ。ことに〝買われた会社〟のほうの反発やヤル気の低下が問題視されている。

「ないまぜ」とは、そもそも**種々の色糸をまぜて紐《ひも》を作る**ことだ。歌舞伎で、**二つ以上の脚本を混ぜ合わせて新しい脚本を作る**ことも「ないまぜ」と言う。歌舞伎と違って、企業の「ないまぜ」は、筋書きどおりにはいかないようだが……。

「泥棒《どろぼう》」

泥製の棒を持っていたのか？

昨今の盗《ぬす》っ人《と》、強盗は、刃物どころか、すぐにピストルや猟銃を持ち出すから始末が悪い。その点、昔からある「泥棒」は、〝棒〟がついているせいか、大した武器は持たず、現代版ドロボウより愛嬌《あいきょう》があった。

しかし、この〝棒〟は、木の〝棒〟ではないらしい。一説によると**三河土呂《みかわとろ》の一向宗徒《いっこうしゅうと》が徒党を組んでそむいた**ことから、〝土呂坊〟と呼ばれ、それがドロボウになったという。だから、〝棒〟ではなく〝坊〟なのだが、おまわりさんが〝警棒〟を持って追いかけるには、対抗上、「泥棒」のほうがふさわしい。

「おとり」

どんな鳥のこと？

何年か前アメリカで、オリンピックの金メダリストが婦人警官扮する売春婦に交渉をしたカドで逮捕されたが、最初に声をかけたのは婦人警官のほうらしい。こんな、テレビドラマまがいのことがアメリカでは堂々とまかり通っている。いわゆる「おとり」捜査だが、日系某大企業の機密スパイ事件が、かつて摘発された。

「おとり」とは〝招鳥《おきとり》〟の変化したもので、**目指す鳥をおびきよせるために使う、あらかじめ捕獲してある鳥**だった。この「おとり」、日本の警察には一羽もいないらしいが、アメリカの警察ではたくさん飼っているようだ。

「ゴネ得《どく》」

どうやって得をする？

ある人気球団の選手は、契約更改のたびに〝ゴネ〟るだけゴネることで有名だという。最終的に雀の涙ほどの上積みで決着するのだが、こんなことの繰り返しに球団もうんざりして、トレードに出してしまった。人気のない球団に移れば、実質的身入りは大幅ダウン、その選手は結局〝ゴネ損〟したわけだ。

「ゴネ得」の〝ゴネ〟は、〝ゴネる〟からきているが、粉を〝コネる〟でも表わしきれないから、濁音にして〝ゴネる〟と言った。**グチャグチャとコネるようにごたごた文句を並べる**ことだ。ゴネても〝得〟をすることは容易ではない。英語を会得するのはひと苦労。所得を上げるには人一倍働かなくてはダメ。〝ゴネる〟だけで得しようなど、虫がよすぎる。

「すり」

何と何をすり合わせる？

明治時代の末期、仕立屋銀次《したてやぎんじ》という「すり」の大親分がいた。仕立屋の娘と結婚したため、そう呼ばれたが、配下の子分は百五十人を超え、逮捕されたときはなんと、財布、時計、その他の金品など人力車二台、荷車二台分が押収《おうしゅう》されたという。

「掏摸《すり》」とは〝摩《す》り〟で、**人ごみの中で体をこすりつけるようにして、他人の懐中の財布などの金品を盗む**のだが、仕立屋銀次に〝すられて〟も、被害者は、まったく〝摩り〟を感じなかったそうだ。体と体の〝摩り〟がなかったとなれば、銀次は「すり」でなかったことになるが、〝摩らず〟に〝する〟ほどの名人芸だったといういい証明になる。

「与太者《よたもの》」

与太とは、どこの人？

古典落語には、いろいろなキャラクターを持った常連が登場する。八《はっ》つぁん、熊さんといえば、そそっかしいが、人がいい代表。与太郎と言えば、**とぼけた、ちょっと頭の弱い人物**だ。

〝おい、与太郎、豆腐《とうふ》をどうした〟〝しまっておいたよ。ネズミに食われないように、お釜んなか入れて、蓋《ふた》をして、上からたくあん石をのせといたから、だいじょうぶ〟（酢豆腐）。こんなタイプだが、「与太者」はこの与太郎からきている。

今は、もっぱら**素行不良の若者を指す**ようになったが、昔の「与太者」は、いくら与太っても〝与太郎〟同様、可愛げがあった。

「したたか」な女性

悪女のこと？

女性が罪を犯すと、マスコミは決まって「したたか」な女として容疑者を印象づける報道をする。女性がそんな大それた犯罪を行なうはずがない、という前提が暗黙のうちにあるからだろう。

一見そう見えないが、じつは**思った以上の能力を持ち、一筋縄ではいかない様子**を、多くは悪い意味で「したたか」と言う。しかし、元来は、〝整っていてしっかりしているさま〟のこと。手紙を〝したためる〟の〝したた〟と同源である。

とはいえ、最近の女性の活躍はめざましく、男以上に実力のある人も増えてきた。「したたか」な女性という表現が、時代遅れになる日も近い？

「物色《ぶっしょく》」する　どんな色を探しているのか？

交番や駅などでよく見かける殺人強盗犯の手配書はモノクロ写真がふつうだが、あれはカラー写真であったほうがいい。〝容貌〟から人を探すのにはカラー写真に限る。カラー写真なら、グッと「物色」しやすい。

「物色」は、〝事物や容貌〟の意で、「物色」するというと、**〝事物と人物について多くのもののなかから適当なものを探す〟**ことを意味する。

ポスターで手配された犯人たちは、強盗に入って、何を「物色」したかは知らないが、まさか、自分たちが「物色」される側になろうとは、ゆめゆめ思わなかっただろう。

「油《あぶら》を売《う》る」

油売りはなまけ者？

一九七三年に起きたオイルショックは、私などいまだ記憶に新しい。トイレットペーパーはスーパーから姿を消し、テレビ放送は省エネとかで時間が短縮された。石油がなければ、夜も日も明けない日本の立場を、いやというほど思い知らされた。

このように、現代の油売りは一国を揺るがす商売だが、江戸時代の油売りの話はのんきだ。当時、枡《ます》で計り売りされていた油は、粘り気が強いため客の容器に分けにくかった。そこで、**しずくがきれいに枡から落ちるまで、客と世間話などして待つ**のが親切な油売りだった。それが「油を売る」の語源。サボリやムダ話にたとえられては、油売りも心外に違いない。

「テラ銭《せん》」

お寺のお金？

「テラ銭で都政を運営するのは問題だ」と廃止になった都営競輪だが、最近、カジノを建設しようという案も出ていると聞く。わが国の公営ギャンブルの「テラ銭」はべらぼうに高く、財源に悩む自治体にとって「テラ銭」は大きな魅力だからである。

この「テラ銭」の〝テラ〟のいわれだが、寺に関連があるという説もあるが、**賭場《とば》を照らすための灯油やろうそくの費用、つまり〝照（てら）銭〟**だという説のほうがピッタリするようだ。寺に関係が深いと信じ、お寺の前で両手を合わせてギャンブル必勝を願う〝信心深い人〟がいるかもしれないが、それで勝てるなら苦労しない。

仏の顔なのになぜ嫌われる？
「仏頂面《ぶっちょうづら》」

最近の若者は、上役にちょっと叱られただけで、ほっぺたをぷっとふくらませて〝無愛想な顔〟をしたかと思うと、〝私、会社を辞めさせていただきます〟とくるのだそうだ。特に可愛い女性が「仏頂面」をするのは、あまり似つかわしくない。

中には、その「仏頂面」が可愛いなどと言うへそまがりもいるが、もともとはこの顔、**仏頂尊という仏様の恐ろしい顔**を指している。少々上役に叱られたくらいで「仏頂面」などしないほうがいい。仏頂尊とは、釈迦《しゃか》如来仏《にょらいぶつ》の頂上からあらわれて、その頂上の形相の功徳《くどく》をあらわした仏で、智慧《ちえ》を仏格化したと言われる。

「にやけた」男

にやにやしていることか？

東京の赤坂や新宿といった盛り場では、夜が更《ふ》けるにしたがって男娼の姿が見られるという。この男娼、なにも現代の異常な風俗ではなく、大昔からいたものだ。色っぽい仕種《しぐさ》と姿形で媚《こび》を売る姿も、昔から変わらないらしい。

もっとも最近は、ごくふつうの若者でも、なよなよと流し目を送りながら歩く人もいる。昔は、「にやけた」奴と嫌われたものだが、今の若者のなかには、この言葉を聞いて〝にやにや笑い〟を指摘されたと思っている人もいる。この言葉、**本来は鎌倉時代の男娼〝若気《にやけ》〟**からきている。だから、その気のない男性にとっては最大級の侮辱《ぶじょく》だったはずだ。

「ろくでなし」

なぜ「六」でないのか？

「ろくでなし！」と叱っても、相手が、〝そんな歌がありましたね〟と柳に風のタイプなら、叱るだけ無駄というものだ。「ろくでなし」と言った自分のほうがろくでもないような気がするだけだろう。

「ろくでなし」の〝ろく〟とは、〝夜もろくに眠れない〟とか、〝ろくに食事もとっていない〟の〝ろく〟と同じだ。これは、**正しいとか、まとも、あるいは完全、まっすぐ**という意味である。

言葉の意味を解説してから叱るほど、間の抜けた話もないが、そうしないと、この「ろくでなし」という言葉はひどい言葉とは受けとられないフシがある。

「脳《のう》たりん」

脳が少ない人？

国会ではいろいろな野次が飛ぶ。その場に笑いを起こすような野次ならともかく、いつもいつも「脳たりん」ばかり叫んでいては、叫んだ議員自身の脳味噌を疑われても仕方がない。

「脳たりん」とは、〝脳が足りない〟ことだが、**脳の容量や重量が知能程度を左右する**ことは、よく知られている。

動物の知能を比較する方法の一つが、この脳の重さの測定だが、これはあくまで異種の動物を比較するときの方法で、人間同士には応用できない。たとえば、相対性理論のアインシュタイン博士でさえ、脳は軽かったという説もある。「脳たりん」程度の野次にひるむことはない。

「やぶ医者《いしゃ》」

竹やぶで開業している医者？

最近、りっぱな建物と最新の医療機器を備えた病院で、医者の手ちがいから、まったく別人ととり違えて手術をしてしまったといった事件が起こった。りっぱな病院にも、たいへんな「やぶ医者」がいるわけだ。

「やぶ医者」の〝やぶ〟は本来〝野巫〟と書き、〝医薬を呪術とともに用いる者〟のことだ。そこから、**運まかせで治そうとするような腕のあやしい医者**のことをいうようになった。

昔は〝医は仁術《じんじゅつ》〟などといって、貧しい患者の味方をする医者もいたが、今はそんな名医は少なくなり、〝呪術〟ならぬ〝算術〟を得意とする「やぶ医者」が増えているという。

「ダフ屋《や》」

タフな人がする仕事？

言葉を逆さに言う隠語は結構多い。たとえば、小指を立てて言う〝れこ〟(これ→女)、マスコミ界でもよく使われる〝ネタ〟。どちらも、改めて説明するまでもないほど一般化している。

「ダフ屋」も〝札屋《ふだや》〟の逆で、**乗車券や入場券を買い込んで、プレミアムつきで転売する者**のことである。場所のことを〝ショバ〟というのと同じで、本来これらは、アウトローの世界の隠語だったのである。

「しゃらくさい」

いい匂いか、悪い匂いか？

コーヒーをブレンドすると、味だけでなく香りもブレンドされる。通はこれを楽しむ、などと聞くと「しゃらくさい」と言いたくなるが、この言葉、しゃれた趣味からきているのではない。

その昔、**遊里の傾城《けいせい》（遊女）は、伽羅《きゃら》のいい香りを焚《た》き込めていた**が、それに野暮な客のジャコウの匂いが混ざり、香りがブレンドされた。これをからかって、〝伽羅っぽい匂い〟という意味で〝伽羅臭い〟と言ったのがなまり、「しゃらくさい」になったという。だから、本来は野暮なことを指した。

現代でも、しゃれたつもりでいて、実は下手な冗談を言う「しゃらくさい」人がたくさんいるようだ。

「こけにする」

苔が生えたのか?

釣りのヘタな人は、むやみに釣竿を上げ下げする。そこから、人をほめたり(上げたり)、けなしたり(下げたり)することを〝こけの釣りを見るよう〟という。この「こけ」を漢字で書くと〝虚仮〟である。仏教の言葉で、**真実でないこと、外面と内心とに相違があること**を意味する。そこから、愚かなこと、の意味になった。

技量の劣っている人ほど無駄な動きが多いことはたしかだが、〝こけの一念〟という言葉も、ウサギとカメの例もある。

せせら笑っているうちに、いつの間にか追い越され、逆に〝こけにされる〟ハメにならぬよう、ご用心。

「破廉恥《はれんち》」

何を破ること?

竹、顔、魔を破れば、破竹、破顔、破魔となって好ましい。反対に、破ってはよくないものもある。戒や門、産などがそうで、もし破ると、それぞれ破戒、破門、破産となって、これはたいへんだ。

どうやら、世の中には、破っていいものと、いけないものがあるようだ。とくに、**りっぱなおとなが、破ると困るもの**がある。〝廉恥〟がそうだ。〝廉恥〟とは恥のことで、これを破ったら、〝恥を知る潔白な心〟を失ってしまう。

もし「破廉恥」なことを繰り返せば、世間から相手にされなくなり、ひいては破産、そして人格の破綻につながる。これでは、人生ご破算だ。

「おろおろ」する

なぜあわてるのか?

子どものころから勉強ばかりしていたインテリ、秀才ほど、社会へ出てイザというときにあわてるものだ。極論すれば、彼や彼女らは、腹がすわっておらず、時として役に立たないことさえある。

非常時の彼らは「おろおろ」することになるのだが、この「おろおろ」は、〝疎《おろ》か〟や〝愚か〟の〝おろ〟を重ねた言葉で、**どうしていいのかわからず、あわてる様子**を言う。落ち着きを失って、あっちへウロウロ、こっちへウロウロしているエリートの姿は見苦しい。

「おろおろ」する秀才は、〝愚か〟といわれても仕方がない。

PART-④

嬉しいときの日本語

「有頂天《うちょうてん》」「脚光《きゃっこう》を浴《あ》びる」

「ひっぱりダコ」

何を引っぱるのか？

すこしばかり売れてきたタレントなどが、得意顔をして、いろいろなところから「ひっぱりダコ」だなどと言っているのを聞くと、少々からかいたくなる。こういう人は、いったい何カ所くらいから声がかかったら「ひっぱりダコ」だと思っているのだろうか。せいぜい五、六カ所からくらいでは、「ひっぱりダコ」とは言いにくいのだ。

食べ物にするタコの干物は、足を八方に引っぱって干す。この形から、**一つのものが多方から求められる**ことを「ひっぱりダコ」と言うようになったのだから、二、三の引きくらいで「ひっぱりダコ」とは、磔《はりつけ》になったタコの名誉のためにも恥ずかしい。

「有頂天《うちょうてん》」

頂天はどこにある？

仏教の教えの一つは、心を無にして真理を悟ることだが、私たち凡人は、悟りの境地にはなかなか到達できないものだ。物事がうまくいけばいったで、〝とかくいい気になって〟、もっとうまくやろうなどとつい欲を出してしまう。仏教では、これを「有頂天」と言っていましめた。

仏教では、悟りの段階を、**欲望の世界である欲界、物質的世界である色界、物質を超えた世界である無色界**の三つに分けている。欲界と色界が有色界で、有色界の頂上にあるのが「有頂天」だ。悟りの境地に達しない私たちは、「有頂天」に登ってしまえば、あとは落ちていくしかないようだ。

「ほくそ笑《え》む」　どんな笑い？

モンローウォークと言えば、すぐにマリリン・モンローのセクシーな腰つきを思い浮かべる人は多いだろう。歩き方にまで自分の名を冠せられたのだから、スター冥利《みょうり》につきるというものだ。このモンローウォークのように、人の名前に動作や表情をつけた造語法は、けっして目新しいものではない。

古代中国に、〝北叟《ほくそう》〟という、世の無常を達観した一人の男がいた。〝人間万事塞翁《さいおう》が馬〟という言葉に出てくる〝塞翁〟が実はこの〝北叟〟で、**万事、控えめがいい**と説いた人物だけに、笑うときも〝控えめにかすかに笑った〟。そこからこうした笑い方を「ほくそ笑む」と言うようになった。

「悲喜《ひき》こもごも」

悲しみと喜びがどうなるの？

長い人生には、〝喜び〟も〝悲しみ〟もあり、神さまは、喜びだけの人生も、悲しみだけの人生も与えないといわれる。たしかに、一流企業に入社した友人が、そのときは喜びにひたっていても、三十年後の今日は、子会社に出向を命じられて悲しみに打ちひしがれている。かと思えば、就職に失敗したもう一人の友人は、職を転々としたあげく、今では一国一城の主《あるじ》として羽振りをきかしている。

こんな話をよく耳にするが、世の中は「悲喜こもごも」で、悲しいこともあれば、喜ばしいこともある。「こもごも」は「此も此も」がもとで、**〝これもこれも〟、つまり、いろいろあるということだ。**

「きら星《ぼし》」のごとく

どんな星？

最近はとんと見かけなくなったが、美しい模様のある薄い絹でできた衣服をまとった女性ほど、〝きらびやか〟で、魅力のあるものはない。それもそのはずで、〝きらびやか〟の

〝綺〟は、〝模様のある絹の布〟のことを指し、〝羅〟は、〝薄衣《うすぎぬ》〟のことを言う。そうした女性たちが大勢集まった様子を、本来ならば「綺羅《きら》、星《ほし》」のごとくとたとえるのだが、今では、**偉い人が集まっている様子**を指すようになってしまった。

「きら星」は、「きら、星」と読まなくては意味が通じない。綺羅の女性が、星のようにたくさん集まるというのが「きら星（のごとく）」で、今でいえば、美人コンテストがいちばんぴったりする。

「つつがなく」終わる

何がないままに終わるのか？


世の親は、〝へんな虫〟のつかないうちに、かわいい娘を嫁にやりたいと願っているものだ。ところが、〝親の心子知らず〟で、とんでもない〝虫〟にとりつかれて、親を嘆かせる若い女性が少なくない。とくに、〝つつが虫〟というダニは、要警戒だ。

このダニに刺されると、**〝つつが虫病〟といって、刺された個所が化膿《かのう》し、頭痛、食欲不振を招き、死亡する**ことすらあった。この虫がいなければ、安全で、無事、というところから、〝つつがなし〟という言葉ができたという。娘の結婚式が「つつがなく」終わったところで、親はやれやれとひと安心だ。

「相槌《あいづち》」を打つ

打てばどんな音がする？

とかく調子がいいといわれる若者だが、年輩の人に言わせると、調子の合わせ方が、今ひとつピンとこないらしい。先日も、例によって、ある大企業の重役が、〝最近の若い社員は、こちらが十を言わないと、きちんとした答えが返ってこない。打てば響くような感覚がない〟と嘆いていた。

しかし、これには調子を合わせてほしいと願う上役にも責任がある。昔の鍛冶屋《かじや》の親方は、弟子が槌を入れやすいように、うまく呼吸を合わせてやった。これが「相槌」で、**〝調子が合う〟には、お互いの呼吸がいちばん大事**だ。これさえ合えば、〝打てば響くような〟答えが返ってくる。

「溜飲《りゅういん》を下《さ》げる」

何を下げるのか？

油っこいものを食べすぎたときなどに起きる〝胸やけ〟は、なんともいえず嫌《いや》な気分のものだ。〝げっぷ〟が出ると、なんとなくほっとしたりするが、この、**胃の消化作用が不活発**

となって起こる〝げっぷ〟や〝胸やけ〟のことを「溜飲」と言う。

この「溜飲」、消化作用が原因ならば、市販の胃腸薬でも飲めば、一時的にも解消できるが、重い税金に苦しみ、なんでも高いものを否応《いやおう》なしに〝食べさせられる〟庶民にとって、胸をすっきりさせる特効薬はなかなかない。減税、物価の安定が「溜飲を下げ」てせいせいする薬になればいいが、片方でリストラされるのでは、胸のつかえはおりない。

「のれん分《わ》け」

何枚に分けても大丈夫？

ビジネスの世界は、〝信用〟の上に成り立っているが、昔の商家もことのほか信用を大事にした。そのシンボルが屋号で、信用のあかしとして、紺色の木綿《もめん》地に屋号を染めぬいた「のれん」を軒先にかかげた。

商家に長く勤め、実績を**主人に認められた奉公人は、独立して自分の店を持つ**ことを許され、同じ屋号を名乗ることができた。〝信用を分けてやる〟という意味で、これを「のれん分け」と言った。今の世の中、同じ屋号を名乗るチェーンストアやフランチャイズが花盛りだが、はたしてどこまで創業者の信用を大事にしているのか。

「金字塔《きんじとう》」

金箔張りの塔のこと？

メジャーリーガーとなったイチロー選手は、期待通りの大活躍。一年目にして新人最多安打を放ち、首位打者となった。マスコミはこぞってイチロー選手の記録を「金字塔」などと騒ぎたてたが、本人はすこしも浮かれるところがなかった。

この「金字塔」は、金箔《きんぱく》を張った派手なもののように思われがちだが、じつは、本来は地味なものなのである。「金字塔」は **〝金〟の字を象《かたど》った先のとがった塔**を言い、石でつくったピラミッドも「金字塔」のうちにはいる。その点では、偉大な記録をつくっても冷静なふるまいのイチロー選手にこそ、「金字塔」という言葉が似つかわしいかもしれない。

「三拍子《さんびょうし》」そろう

何が三つそろうのか？

毎年、プロ野球に新しい選手がたくさん入ってきて、新聞やテレビで紹介されている。いずれも〝大器〟だの〝××二世〟だの〝将来のスーパースター〟だのと、その触れ込みはじつに華やかだ。

そうした紹介のなかで、しばしば「三拍子そろった」という表現が登場する。〃三拍子〃は、そもそも**小鼓《こつづみ》、大鼓《おおつづみ》、笛の三種の楽器で拍子をとる**ことをいったが、昨今はまるで野球解説用語のようで、攻・走・守で〃三拍子〃なのだという。野球をするうえで欠かせない基本がすべてそろっているというのは結構だが、中には、飲む・打つ・買うの「三拍子」だけがそろっている選手もいるらしい。

「やんごとなき」人

何がない人？

イギリスの大衆新聞は、王室関係と天気の記事があれば成り立つといわれている。逆にいえば、それだけ王室に対する人びとの関心が高いということだ。王室や皇族という尊いお方にまつわる噂話は、洋の東西を問わず、格好の〃話のタネ〃になるらしい。それも、考えてみれば〃やむをえない〃ことかもしれない。

〃高貴な、貴い〃という意味の「やんごとない」は、もともとは〃無止事〃から出ている。**〃止む事なし〃から、なおざりにできないほど高貴、という意味**になった。ただの〃貴い〃よりはるかに高い尊敬の心を表わす言葉なのである。

「ウマが合《あ》う」

ウシとは合わないのか？

数多い動物のなかでも、馬ほど人間の心を理解する動物はいないのではないだろうか。

こんな話を聞いたことがある。荒野を馬で旅していた人が、疲労でヘタリ込みそうになる馬に向かって、〝もうすこしだ、頑張れ〟と励ましたところ、その馬は最後の力をふりしぼって目的地まで歩いたという。

これほど馬と乗り手の息がピッタリ合えば、言うことはない。昔から**〝馬には乗ってみよ。人には添うてみよ〟**と言われるが、人にも実際に当たってみなければその人の本質はわからない。当たった結果、意気投合すれば、「ウマが合う」ということだ。

「したり顔《がお》」

どんな顔か？

ことがうまく運んだときに、〝ヤッター〟と叫ぶのが若い世代の習慣になりつつある。〝ヤッタ〟は、〝やる〟という動詞に、すんだことを確認する意味の助動詞〝た〟がついてできた言葉だ。これを古語でいうと、「したり」となる。つまり、現代では〝する〟が〝やる〟

に変わり、〝たり〟が〝た〟に変わっている。

だから、「したり顔」は、**〝うまくいったという顔〟、つまり〝得意顔〟**のことである。そういうとき、昔は、胸をそらせるか、あごを突き出すぐらいが関の山だったが、今は、〝ヤッター〟と声にも出し、Vサインをつくった手などを突き出すようになった。

「最右翼《さいうよく》」

なぜ、右が有力なのか？

戦後のエリートコースと言えば、有名進学校から東大にはいり、高級官僚の道に進むことだろうが、戦前は、海軍兵学校を優秀な成績で卒業して高級将校になるコースがあった。全国から秀才が集まる兵学校は、そのきびしい教育内容からしても、東大以上のエリート校だったのではあるまいか。

というのも、海軍兵学校の席順は、優秀な生徒から順に右に並ばされていた。これで生徒たちを競い合わせたわけだが、ここから、**一つの物事を争うなかで、もっとも有力なものを**「最右翼」と言うようになった。主義主張の違いではなく、成績の違いが右と左を分けたわけだ。

「貫禄《かんろく》」

体重が重いこと？

アメリカの有名な経営学者P・ドラッカーは、経営者に求められる最大の資質として、〝品性〟をあげている。これからの経営は、人の使い方、金儲けのうまさといった、単なる技術ではなく、人間に具《そな》わった〝品性〟がなくては、というのが、ドラッカーの主張だ。これは、昔からいわれている「貫禄」という言葉に置き換えたほうがわかりやすい。

〝貫〟とは、金銭や目方の単位で、一千匁《もんめ》（三・七五キログラム）、一千文《もん》のこと。〝禄〟とは給与やほうび、財産のこと。そこから**〝身に具わっている威厳や重味〟を指す**ようになった。金儲けだけがうまく、ちょこまか動き回る経営者には「貫禄」などあるはずがない。

「お墨《すみ》つき」

何がつくのか？

世をあげての省力化、省略化の時代というものがあった。会社の栄転、昇給などの〝辞令〟も、ワープロで打った紙切れが機械的に渡されるだけ。なかには、口頭で伝える会社もあり、辞令を受ける新入社員もどこか物足りないようだった。

昔の将軍、大名は、配下の**家来を領地替えしたり、勲功をたたえて石高《こくだか》を上げたりするときは、その旨をうやうやしく墨で書き、文書にしたためた**ものだ。この文書は、将軍や大名の〝保証書〟のようなもので、「お墨つき」をもらえば、まずひと安心といったところだった。ワープロや口頭の「お墨つき」は、いつ反故《ほご》になるものやら。

「折紙《おりがみ》つき」

人間に紙をつけるのか？

犬や猫には〝血統書〟、よく問題になる泰西の名画には〝鑑定書〟がないと、素人《しろうと》の目には真贋《しんがん》がわからない。昔も、これに相当するものがあり、和紙を二つ折りにしたものを、鑑定紙として使った。この**二つ折りの紙のことを〝折紙〟といい、この〝折紙〟の鑑定書がついた書画、刀剣、器物**などを「折紙つき」と呼んだところから、保証する価値のあるものを、「折紙つき」と呼ぶようになった。

だから、もしひじょうにすぐれた折紙細工があれば、〝折紙つきの折紙〟ということになる。〝札つきの悪党〟はいるが、悪党にもにせ者が多く、「折紙つき」の悪党にはなかなかお目にかかれない。

「細工《さいく》は流流《りゅうりゅう》」

どんな流れのこと？

プロ野球の選手は、シーズンオフの体づくりによって次のシーズンの活躍が決まるといわれる。この体づくり、昔は選手にまかせていたが、今は〝自主トレ〟などと称して球団が管理している。

プロなら、自分の体づくりくらい、自分の〝流儀〟で工夫してやったらどうだろう。「細工は流流」とは、まさにこのことで、**「細工」は工夫することの意味だが、「流流」とはそれぞれの流儀、方法のこと**である。昔のプロは、自分流でいろいろ工夫し、「細工は流流、仕上げをご覧《ろう》じろ」と言った。ほんとうのプロなら、それくらい言ってほしいものだ。

「善玉《ぜんだま》」

どんな玉のこと？

江戸時代、広く庶民に親しまれた読み物に〝草双紙《くさぞうし》〟がある。黒本、赤本、青本などだが、一種の絵入り読み物だ。今でいうコミックといったところで、昔も〝漫画〟ファンは結構いたものらしい。

この**絵入り読み物では、登場人物が〝善人〟か〝悪人〟かが読者にすぐわかる**ように、顔を丸く描いて、そのなかに、〝善〟か〝悪〟の字を書いた。〝善〟の字を書かれた人物が〝善い人〟で「善玉」、これが〝悪〟の字を書かれた〝悪玉〟をやっつけるストーリーが人気を博した。そこから、〝玉〟といえば〝人〟のことを指すようになったわけだが、最近のコミックでは、〝悪玉〟にも人気があるらしい。

「旗揚《はたあ》げ」

旗を立てなくてもいいのか?

電話などなかった時代、人々は遠い地域との通信手段にのろしや太鼓、夜なら火も使った。旗を立てるのも伝達手段の一つで、いくさを起こすときには遠くから見えるように旗を用いた。

このことから「旗を揚げる」は、挙兵のことになった。また、のちには芝居小屋の前に旗が立ち並んだことから、**新しく一座を組んで興行を始める**ことを指すようになり、やがて一般に〝新しく事を起こす〟の意味になった。最近は、広告の飛行船が高層ビル群の上を飛んでいる。高層ビルの林立する東京では、空の上に〝旗〟を揚げないと、遠くからは見えないのだ。

「脚光《きやっこう》」を浴びる

脚はどうすれば光るのか？

バスケットボールは、バスケット（籠）にボール（球）を入れる競技だから〝籠球《ろうきゆう》〟、フットボールは、フット（脚）でボール（球）を蹴るスポーツだから〝蹴球《しゆうきゆう》〟というように、英語の部分部分に漢字を当てて訳した言葉がある。「脚光」もその一つで、フット（脚）とライト（光）である。フットライトは、劇場用語で、**舞台の床に設置した照明を用いて、俳優を脚のほうから照らす**こと。フットライトは、俳優を下から浮き上がらせ、大きく見せる効果がある。

しかし、最近の新人歌手は「脚光」を浴びても、すぐに舞台から消えてしまう。ライトで足元を明るく照らされているうちに、足場をしっかり固めておくよう努力しなかったせいだろうか。

「頭取《とうどり》」

頭を取る人のこと？

昔の武将は、敵の大将の首を取ってくると一軍の将になれた。しかし、現在の銀行の〝大将〟は、敵の首を取ってきて「頭取」になったわけではない。「頭取」とは、もともと**雅楽《ががく》**

の用語で、合奏をするときの各楽器の首席演奏者を言った。つまり、音頭を取る人という意味合いだ。そこから、一般に人の前に立って音頭を取る代表者の呼称となった。

しかし、この弱肉強食の時代、他行の預金をぶんどってくるくらいでないと、「頭取」はつとまらない。〝とうとう、きのうはA社の預金をそっくり取ってきた〟というのが、「頭取」の毎朝の自慢である。

「天衣無縫《てんいむほう》」

縫わなくても着物はできるの？

本田技研の創業者本田宗一郎氏は、飾りっ気がなく、天真爛漫な人柄だったといわれる。それでいて、並の人の及ばぬ細かな気配りをしていたそうだ。まさに「天衣無縫」という人物評がぴったりだ。

〝天人の衣には、縫い目がない〟という。そこから、**技巧をこらさず、しかも、完成度の高いこと**のたとえに使われるようになったこの「天衣無縫」、昔は、文章や詩歌を評する言葉として使われていた。現在では人柄についても言う。ところが、「天衣無縫」な人と評される人物をよくよく観察していると、単に無神経なだけの、〝無謀な人〟だったりする。

「屈指《くっし》」の秀才

指をどうすること？

親が子どもにかける期待というのは、つい大きくなりがちで、学校の成績についても必要以上にきつく叱ることが少なくない。だが、振り返って、その親たちが子ども時代に「屈指」の秀才だったかというと、疑わしいのではないか？

「屈指」は、字のとおり、**指を折り数えること。転じて、数えあげるほど価値があることを**いう。屁理屈《へりくつ》を言えば、折る指は十本だから、「屈指」にはいるのは最初から十人まで、ということになる。〝お父さんは「屈指」の秀才と言われてた〟と子どもに自慢する父親も、往々にして、その真相は、足の指まで動員しての「屈指」であったりするのだ。

「肩書《かたが》き」

頭書きはないのか？

〝名刺で仕事をするな〟という言葉があるが、日本のビジネス社会は、役付きかどうかで、仕事の中身も仕事のやりやすさも違う。役職名のことを「肩書き」というが、この言葉、そもそもは**名前の右上の横、〝肩〟に当たるところに職名、官位、居所などを書き添えた**ことからきている。

だからといって、最近の名刺のように名前の上にあるものを〝頭書き〟、真横を〝腹書き〟とはいわないが、実力以上の「肩書き」に、胃痛を起こしたり頭を抱えている人はいる。とくに、はじめて「肩書き」を持ったときは、責任の重さがズシリと双肩にかかってくるようだ。

「おめがねにかなう」

眼鏡の度が合うことか?

目の良し悪しを言うとき、目には二つの意味がある。〝視力〟と、〝ものを見分ける眼力〟だ。

視力が弱ければ、それを補うのが眼鏡だが、ものを見分けるにもそれなりの眼鏡があるようだ。「おめがねにかなう」は、**目上の人に気に入られる、認められる**ことだが、ここでいう〝めがね〟がそれで、〝眼力・鑑識眼〟といった意味である。もともと〝めがね〟は、目の〝さしがね（尺度）〟からきており、視力補強の眼鏡とは由来が異なる。一度は「おめがねにかない」、目上の人が目をかけた人物でも、期待したほどには活躍しないことがある。これを〝めがね違い〟、あるいは〝めがねが狂った〟という。

「金《かね》のワラジ」でたずねる
カネとキンでは大違い？

昔の長旅にはワラジが必需品だった。当然、毎日はいたりぬいだりするわけだが、〝ワラジをはく〟とは、住みなれた土地を離れて長旅に出ることを言い、ヤクザなどが諸国をまわって、ある土地に身を落ち着けることを〝ワラジをぬぐ〟と言った。

しかし、ワラ製だからすぐにいたんでしまう。これが鉄製だったら、さぞ長持ちすることだろう。そこから、**どこまでも根気よく歩きまわって探す**ことを「金のワラジ」でたずねるといった。念のためお断わりしておくが、〝カネ〟のワラジであって〝キン〟ではない。純金製のワラジなどもったいなくて、はいて歩いたりはできない。

「結納《ゆいのう》」
何を結んで納めるのか？

アパート一部屋借りるにも、何やかやと名目をつけた〝契約金〟を取られる。結婚だってりっぱな契約だし、まして、〝借りる〟のではなく〝いただく〟わけだから、それ相応の契約金は必要だろう。

この際の〝契約金〟、ないしは品物を取りかわす儀式を「結納」というが、これは本来、「許嫁《いいなずけ》」の項で説明した**縄を結んだ標縄《しめなわ》、つまり〝結縄《ゆいなわ》〟**からきた言葉で、もとはとても安あがりな儀式だったのである。最近は、結納金に男性の月給の三倍を当てるのが常識だそうだが、このくらいの金額が、一度結んだものを簡単にはほどけなくする妥当《だとう》な額ということなのだろう。

PART-⑤

立腹と忍耐の日本語

「度《ど》しがたい」「勘弁《かんべん》する」

「鼻持《はなも》ちならない」

これでは、鼻つまみされる？

人間の五感のうち、臭《にお》いがもっとも本能的な好悪《こうお》の対象になるといわれる。見たり聞いたりしたいやなことは多少がまんできても、臭いだけはどうにもならないと言う人は多い。たしかに、〃鼻につく〃〃鼻つまみ者〃といったように、鼻に関する語で、好き嫌いを表わす例はたくさんある。

この「鼻持ちならない」は、臭気《しゅうき》に堪えるという意味の〃鼻持ち〃からきた言葉で、**嫌《いや》みな言動をする人**について言う。会社の中などでも、できると評価されている人にこのタイプが多いようだが、その点が、単なる〃鼻つまみ者〃とは違うところだ。

「八百長《やおちょう》」

どこの八百屋さん？

日本全国で、八百屋さんは何万軒とあるが、今でも有名なのは、〃八百屋のお七〃と、八百屋の長兵衛〃ではなかろうか。恋わずらいから、江戸の町を火の海にしたお七はさておき、八百屋長兵衛、通称「八百長」のほうは、ある元相撲とりと碁を打つたびに、**ほんとうは勝**

てる実力があるのに、一勝一敗になるようにわざと負けたことで知られる。

そこから、相撲の世界で、あらかじめ勝ち負けを決めておいて、土俵上であたかも勝負を競っているように見せかけることを、「八百長」と言うようになった。今では、相撲に限らず、野球、ボクシングなどで、とかくの噂が絶えない。

「だだ」をこねる

何をこねるのか？

デパートやスーパーなどで、オモチャやお菓子がほしいと言って、足をバタバタさせて親を困らせている子どもをときどき見かける。この子どもの様子は、昔の鍛冶屋《かじ》さんや鋳物屋《いもの》さんが、火をおこすために使った、**空気を送る大きな〝ふいご〟を足で踏んでいる**ところにそっくりなのである。

この〝送風機〟は、〝じたたら〟と呼ばれ、これが、〝しだだ〟〝じたんだ〟を経て、「だだ」になったと言われる。子どもが〝自分の要求が通らない〟と言ってむずかったとき、親は心の中で自分の教育の失敗に〝地団駄を踏む〟かもしれない。

「総《そう》スカン」をくう

スカンクと同じ嫌われ者？

嫌われ者というのは、人間社会にだけいるのではないらしく、動物界では、スカンクがその代表だという。このスカンク、身に危険が迫ると、強烈な臭いのガスをお尻から放出し、相手を退散させる。

人間だって、人前でそんなことをすれば嫌われるのは必定《ひつじょう》である。そのせいか、「総スカンをくう」という言葉をスカンクと関係あり、と思っている人がいた。しかし、この言葉、実は、何の変哲もないものだ。「総スカン」は〝総好かぬ〟のこと。文字どおり**〝みんなが好まない〟〝みんなに好かれない〟という意味**だ。

「総スカン」をくった人はスカンクなみの嫌われ者ということだろう。

「図《ず》に乗《の》る」

どんな図面に乗っかるの？

景気は悪くなっても、カラオケはいっこうに衰えを見せない。〝図に乗って〟、マイクを握ったら離さない人も少なくないが、いくら調子がいいといってもほどほどにしておかないと、総スカンをくうおそれがある。

もともと〝図〟と〝調子〟は縁が深い。仏《ほとけ》の徳をたたえてうたう〝声明《しょうみょう》〟や〝梵唄《ぼんばい》〟は**うたうのがむずかしく、そのため、経文で調子が変わるところには印**がついている。これが〝図〟で、転調のとおりにうまくうたえれば「図に乗る」ことになり、たいそう気分がいい。

演歌には〝図〟などないのに、「図に乗って」歌うとは図々《ずうずう》しい。

「ちょろまかす」

負かす手段が問題か？

ゴルフが紳士のスポーツといわれるのは、ひとえに自分のプレーの裁定者は自分一人だけだという精神によるという。だれも見ていないのだから、スコアを「ちょろまかし」ても、わかりはしないのだが、それでは自分に恥じることになる。ゴルフは、自分に正直か否かを試されるスポーツでもあるようだ。

「ちょろまかす」の〝ちょろ〟は、擬態語の**〝ちょろちょろ〟と同じもので、ちょろりとまぎらかす**からきている。ゴルフの場合、ドライバーやアイアンで〝ちょろ〟しても、スコアをごまかして相手を〝負かす〟。これが、ほんとうの「ちょろまかし」だろう。

「度《ど》しがたい」　何ができないこと？

〝山田くんは、何度注意してもだめだね〟〝どうして同じミスを繰り返すのだろう。仏の顔も三度だよ〟。おそらく二人は管理職なのだろう。通勤電車の中でこんな部下についての苦言が耳に入ってきた。

どうやら山田くんは「度しがたい」人間のようだ。「度しがたい」は〝済度《さいど》しがたい〟と同じ。〝済度〟は仏教の言葉で、よくない状況から救うことを言う。つまり「度しがたい」は、**救いようがない、わからずやでどうしようもない**という意味だ。

まだ見ぬ山田くんに忠告しておこう。上司に〝済度〟されたいのなら、仏の顔も〝三度〟といわず〝再度〟までにしておいたほうがいいようだ。

「八《や》つ裂《ざ》き」にしても足りない　いくつに裂けば、足りるのか？

どんな悪人にも人権があるということで、世界的に死刑廃止の運動があるが、廃止こそしていないものの、日本でも死刑の判決や執行が少なくなっているそうだ。しかし、すこし前までわが国でも残酷な死刑が行なわれていたのである。

たとえば、室町末期から江戸の初期まで行なわれていた死刑のひとつに、**牛や車に死刑囚の手足をしばり、四方に走らせることで体をバラバラにする**ものがあった。想像するだけで気分が悪くなるが、それを「八つ裂き」の刑と呼んだ。現代でもときどきバラバラ殺人事件が起こる。「八つ裂き」は過去のものとは言いきれないのかもしれない。

「むちゃくちゃ」　どんなお茶?

昨今の新入社員諸君は、会社にはいる前はほとんど常識らしい常識を身につけていないので、その会社のしつけの良し悪しは、若手社員をひと目見ればわかるといわれる。

来客があっても、お茶を出そうともせず、客の前を一礼もしないで通り過ぎるような社員もいる。こういう態度を、昔は、〝むさとしたこと〟をするといった。

この〝むさ〟は**仏教でいう〝無作《むさ》〟**で、**〝何もしないこと〟**を指す。〝むちゃ〟はこれをもとにしていて、それに語呂を合わせる、意味のない〝くちゃ〟をつけたのが「むちゃくちゃ」というわけだ。

酸っぱい虫が体にいるのか?

「虫酸《むしず》が走る」

プロレスをテレビで観戦中、心臓麻痺《まひ》を起こして死んだ老人を知っている。それほどでなくても、気持ちが悪くなって、胃から酸っぱい液の逆流することがある。それは、腹の虫のせいではないかと思っている人がいる。

たしかに〝腹の虫〟がおさまらなかったり、〝ふさぎの虫〟にとりつかれたり、〝虫〟は、何か原因不明の悪者だ。また、唾《つば》を古くは〝つ〟といったので、「虫づ(ず)」は、〝なんとなく出てくる唾〟のこと。だから、〝虫唾〟の字を当てた。しかし、**胃液が酸っぱいところから、「虫酸」という当て字**もできて、今はこのほうが勢力がある。

埒とは何のこと?

「不埒《ふらち》」

ナゾナゾを一つ。学生相手の下宿屋が空巣に入られた。男子学生、女子学生の部屋とも同じように荒らされた場合、泥棒の罪は、どちらの部屋のほうが重いか。女子学生の部屋を荒らしたことのほうが「不埒」で、罪も重い。

というのは、そもそも〝埒〟とは、馬場の囲いのことだ。これを破ることを「不埒」と言うが、この〝埒〟は雌馬を囲う〝雌埒〟、雄馬を囲う〝雄埒〟に分かれていて、雄埒のほうが柵が高かった。だから、**低い柵の〝雌埒〟を破る**ことのほうが、より「不埒」であり、女子部屋のドアを破ったほうの罪が重いということになる。

「おためごかし」
だれのためになるのか？

〝あなたの財産を倍に増やしてさしあげます〟とか〝あなたの家の幸せを守ってあげます〟とか言って、戸口に訪れるセールスマンが絶えない。もちろん、全部が全部、悪徳業者やマルチ商法というわけでもなかろうが、このようなセリフを「おためごかし」と言う。

あなたの〝お為〟と言いながら、〝ごかし〟で**それらしく見せておいて、じつは自分の利益にいちばん関心のある**のが「おためごかし」の連中だ。こうした連中を撃退するには、〝私のことはご心配なく〟と答えるしかないようだ。すこしでも弱みを見せると、〝おため顔〟でズカズカ上がり込んできてしまう。

「勘弁《かんべん》」する

あやまれば許してもらえるか？

人間は神様ではないのだから、かならず失敗はする。しかし、一度の失敗が、二度、三度と重なるか、以後同じ失敗をしなくなるかでは大きな違いがある。この違いはどこからくるのだろうか。

一つの答えを示しているのが、人の誤りを許す「勘弁」という言葉のようだ。というのは、この「勘弁」には、〝堪忍《かんにん》〟と同様、許すという意味もあるが、**禅宗で修行者の力量や素質を試験する**という意味があるからだ。失敗をしたとき、〝勘弁してください〟と口先であやまればいいというものではない。ちゃんとやることをやり、〝試験〟に通らなければ、真の「勘弁」にはならないということだ。

「あわよくば」

どんなアワがいいのか？

ある作家によると、外国で買い物をするときは特につり銭に注意しないといけないという。仮に日本円でいうと、七千五百二十円といった端数《はすう》のあるおつりを渡すとき、なかには二十円、五百円、二千円と渡し、ここで間《ま》をあける者がいる。外国の通貨に慣れていない旅行者だと、ここで引きあげてしまうケースが多い。こんな、ごまかしをする輩《やから》が多いというのだ。「あわよくば」式の悪事を働くわけだが、途中におく間がミソだ。それもそのはず、この「あわよくば」という言葉、そもそも**〝間《あわい》〟、つまり〝間がよければ〟という意味**なのである。

「村八分《むらはちぶ》」

残りの二分は何か？

小中学校でのいじめの問題が深刻化しているが、最近の子どもたちの、仲間に対するいたぶりは、実に陰湿だ。〝汚い〟〝臭い〟などと言って、クラス全員がある生徒だけを無視し、いわゆる「村八分」にしたりする。

もともと「村八分」は、江戸時代以降に行なわれたリンチ的な習慣で、村のおきてを破った者との交際を絶つことだった。ただ、**葬式と火事のときだけは協力したため、この二分を除いた八分**で、「村八分」と言うようになった。しかし今の子どもは、とことん仲間はずれにするから、「村八分」どころか〝村十分〟と言うべきである。

「しっぺ返《がえ》し」

何を返すのか?

よく年賀状や挨拶状に使われる〝鞭撻《べんたつ》〟という言葉は、鞭《むち》で打つようにきびしく導くことを言う。禅宗では、座禅を組む者の眠けをさますために、鞭に似た竹の杖《つえ》を使い、これを〝竹篦《しっぺい》〟と呼んだ。長さ五十センチくらいの竹に、籐《とう》を巻いて漆《うるし》を塗ったものだ。

ここから、〝しっぺ〟というようになった。**勝負ごとで勝った者が、負けた者の手首を人さし指と中指でパチンとはじくこと**を、〝しっぺ〟というようになった。打たれたのをすぐ打ち返すのが「しっぺ返し」で、すぐ仕返しをする意味に広がった。

もとは〝愛のムチ〟なのだから、「しっぺ返し」するのは本末転倒ということになろう。

「茶番《ちゃばん》」

お茶当番がなぜ悪い?

毎度のことだが、新しい首相が選ばれるとき、前々からの根回しで、政権交代が政党内部ではすでに決まっているにもかかわらず、さも、今選ばれたかのように見えすいた演出をする。「とんだ茶番劇」である。

もとは、**芝居小屋で客のために茶の用意や給仕をする者**を「茶番」と言った。ところが、その茶番がサービスとして、役者に代わって即興で芝居をやった。これが「茶番狂言」で、転じて、〝底の浅い、へたな芝居〟を「茶番」と言うようになった。

現代の政治の舞台では、茶番よりも大芝居を堂々と演じる政治家が少ない。

「木《き》で鼻《はな》をくくる」

さぞかし痛いのでは？

〝金の切れ目は縁の切れ目〟で、羽振りのいいときには人は集まってくれるが、事業などに失敗して金回りが悪くなると、とたんに人は寄りつかなくなる。私の友人も会社が倒産して、かつての友に借金を申し込みに行ったところ、冷たくあしらわれた。こんなときに、よく「木で鼻をくくる」ような返事というが〝くくる〟とはどんなことか。

〝くくる〟は、〝こくる〟からきて〝こする〟の意だった。「木で鼻をくくる」とは、**木で鼻を〝こする〟、つまり木で鼻をかむ**ことだ。硬い木で鼻をかんだら、さぞ痛いことだろう。

しかし、こうして鼻先であしらわれた人がほんとうに痛むのは、鼻ではなく心なのだ。

「食傷《しょくしょう》」する　胃が傷つくの？

テレビゲームに熱中する若い人の中には、十五時間もぶっ続けで機械に向かう者もいるそうだ。こうなると、まさに〝テレビゲーム中毒〟と言ってもいい。もちろん、とっくに飽きて、テレビゲームなんて「食傷」ぎみだと言う人もいるだろうが、実は、この「食傷」という言葉、**もともとは、食あたり、食中毒**という意味だった。

食べて傷つくから「食傷」とは、いかにも直接的な言葉だが、テレビゲーム少年だけではなく、大人にも思い当たるフシがあろう。

お酒ばかり飲んでいれば、胃が傷つくだけでなく、アルコール中毒にもなる。

「うんともすんとも」答えない　「すん」という返事もあるの？

夜中に電話が鳴ったので、〝何事か〟と飛び起きて受話器を取ると、まったくの無言のまま電話がプツリと切れるということがよくある。間違い電話か、いたずら電話かわからないが、こんなふうにたたき起こされた後は、なかなか眠れない。何か言ったらどうかと、腹立たしくなるが、「うんともすんとも」言わない。

この無言の返事、イエスの意味の〝うん〟に語呂を合わせた〝すん〟をくっつけたもの。下に〝言わない〟などをともなって、**一言の反応もない様子**を指している。

夜中の無言電話、若い女性の声で〝うん〟と言ったら、こっちも〝すん〟と答えるのだが。

「一点張《いってんば》り」　何を張るのか？

政官界の汚職事件の被告たちは、当初、みな同じように〝知らぬ存ぜぬ〟〝記憶にない〟の「一点張り」である。形勢不利を知って一発逆転の大バクチに出るのか、ガンとしてその態度を崩さないのだ。

〝ちょぼいち〟などのバクチでは、**サイコロの六つの目のうちどれに賭けるかで争い、一つの目にだけ賭ける**「一点張り」は、当たれば四倍の賭け金をせしめられた。それを知ってか知らずか、かの被告たちも〝知らぬ存ぜぬ〟というサイの目に「一点張り」をするわけだ。

しかし、はずれる確率もそれだけ高いことを証明するにすぎないようだ。

「ぐち」をこぼす

相手がいないとこぼせない？

信頼される上司になる条件の一つに、親身になって相談に乗ってくれる人、というのがある。これをわかりやすくいえば、「ぐち」を聞いてくれる人、ということになりそうだ。若手社員の場合も、上司なり先輩なりに、「ぐち」を聞いてくれる相手がいれば、会社を辞《や》めるまで追い込まれずにすむケースが多いに違いない。

「愚痴《ぐち》」は、もとをただせば**仏教用語で、〝愚かに思い迷うこと〟**を言う。ぐちをこぼす人は、とかく評判が悪いが、仏教では愚痴を三毒煩悩《ぼんのう》の一つに数えているくらいだから、かえって人間的ともいえる。考えてみれば、釈迦《しゃか》もキリストも、人類が生んだ最高の「ぐち」の聞き役といえよう。

「中傷《ちゅうしょう》」

何のなかが傷つくのか？

食べ物の毒にあたれば〝食中毒〟、弓矢が的にあたれば〝命中〟と、〝中〟という字は、〝真ん中〟だけでなく、〝あたる〟という意味も表わす。

世の中には、**あたるを幸い、人の悪口を言って喜んでいる人**がいるが、「中傷」の意味も、〃傷にあたる〃と考えればよくわかる。人の過失をもっともらしく言いあてれば、人を傷つける。ありもしないことを言えば、人の名誉を傷つける。いずれにしても、こんなことばかりしていたのでは、うらみを買うだけだろう。

いずれ毒にあたって死んだとしても、だれも悲しんではくれないかもしれない。

「のべつまくなし」

幕がないとどうなるのか？

同じような小言《こごと》を一日じゅう繰り返している上司がいるが、これでは部下も言うことを聞かなくなるだろう。たとえば、物語にも〃序破急《じょはきゅう》〃という展開があるから、おもしろく読めるのだ。芝居も同様で、幕開《まくあ》き、幕間《まくあい》、幕切れとあるからアクセントがつき、飽かずに見られるのだろう。

しかし、**芝居のなかには、わざと切れめなしに演ずる**のがある。これを「のべつまくなし（延幕無）」と言った。いつも小言を言う「のべつまくなし」も、これからきているが、芝居ならともかく、小言ではたまらない。早く幕切れにしてくれないなら、〃出る幕はない〃と言ってやればよい。

「こきおろす」

〝実〟のない人は、こきおろせない？

稲の穂から実、つまり米粒をそぎ落とす脱穀のことを〝稲こき〟という。櫛《くし》の歯状の〝千歯こき〟でこきおろされた米粒はひとつ残らず下に落ちた。

もし人間に穂があって、それをこきおろされれば、あらいざらい〝実〟は下に落ちるだろう。そんなところから「こきおろす」とは、**他人をこっぴどく非難したり、名誉を地に落とす**という意味となった。

稲なら、こき落とされた実は米としておいしく食べられるが、人間の〝実〟をこきおろしても、けっして後味はよろしくないだろう。もっとも、こきおろされる〝実〟もない人もいるかもしれないが。

「油《あぶら》をしぼる」

しぼるとどんな油が出るの？

世代に違いがあれば、人の考え方も違ってくる。だが、上司にちょっと叱られると、ぷいと会社を辞《や》めてしまう若者がたしかにいる。

「油をしぼる」は、油を取るときの様子から生まれた言葉だ。しめ木にかけてぎゅっと押すので、**叱ってぎゅっという目にあわせること、欠点や失敗をきつくとがめること**に使われるようになった。

だから、最近の管理職のように、気まぐれな新人社員に遠慮しながら叱るのは、「油をしぼる」とは言えない。しぼっても、たまるのは自分のストレスばかりということになる。管理職とて〝油〟を売っておられない。

「口幅《くちはば》ったい」

口幅がどうなるのか?

上司に意見を具申《ぐしん》すると、ときどき〝大口を叩くな〟と叱られたりする。そこで、〝口幅ったいようですが〟と前置きをして食い下がる。謙遜《けんそん》しているつもりなのだろうが、正確な意味からすると、これはけっして謙遜したことにはならない。

というのも、「口幅ったい」とは〝くちはば（口幅）いたし（甚）〟という意味で、はなはだしく口幅が広いということになる。まさに**〝大口を叩いて〟いる**わけで、〝大口を叩くな〟と言われて、〝大口を叩くようですが〟では、会話としても成立しない。〝話にならん〟と言って、また上司に叱られるのがオチだ。

「猿芝居《さるしばい》」　猿の芝居は上手か下手か？

世間を騒がせるような事件を起こした企業は、株主総会の時期が近づいてくると、会社をあげてその対策を練るという。株主たちを安心させ、世間の信用を回復するための説得材料を用意するわけである。

しかし、以前は、そんな会社も総会当日になると総会屋と称するインチキの議事進行係が〝賛成！〟と叫んだり、拍手したりという、みえみえの芝居を打って、株主らの不安を封じ込めた。こんな芝居を「猿芝居」と呼ぶ。「猿芝居」とはすぐ底のわれる芝居を言うことから、**浅はかな知恵や策略のこと**を言うようになった。株主総会で活躍するこんな手合いを見ていると、引き合いに出される猿こそ迷惑だ。

「憮然《ぶぜん》」とする　ムッとなること？

たとえば妻が入院中に、子どもが交通事故で別の病院にかつぎ込まれては、あまりのことに茫然自失《ぼうぜんじしつ》、どうしようもなくて、ぼんやりしてしまう。これが「憮然《ぶぜん》」だ。〝憮〟の字をよく見ると、**心に何も無い様子、虚脱状態を表わしている**と、まことしやかに説明した人がいる。字源としては間違いだが、こじつけとして、うまくできている。

交通事故の示談《じだん》がもつれて、ときどきムッとなる。ときに大声で言い返す。しかし、それは「憮然」ではない。もっとも、「憮然」としているときには、〝ムッと〟することもあろう。「憮然」と〝ムッと〟とは、すこし音も似ている。

PART-⑥

楽しさを演出する日本語

「千両役者《せんりょうやくしゃ》」「酒《さけ》の肴《さかな》」

「あどけない」子ども

あどけとは何のこと？

世の中には、たいしておもしろくもない話に、しきりに感心してみせたり、相手の言い分に調子を合わせたりする〝大人〟が少なくない。いってみれば、何かの〝下心〟があって、見えすいたお世辞を言うのだが、これを〝あどを打つ〟と表現する。

その点、**〝無邪気で、他人の気を引くことのない〟子どもは、へたなお世辞など言わない**ものだ。そんな子どもの態度や行動が、〝あどの気《け》がない〟、つまり「あどけない」だ。だからいくら子どもだからといって、親の歓心を買おうと、回らない舌で父親に甘えてみせたりするのは、〝可愛い〟とは言っても、「あどけない」とは言わない。

「ゲンをかつぐ」

何をかつぐのか？

現代はいくら科学の時代だとはいっても、人はどこかで科学では割り切れないものを求めるようだ。たとえば、勝負の世界、なかでも古いしきたりが数多く残る相撲社会では、勝っているときはヒゲをそらない、国技館へ行くまでの道順を変えないなど、いわゆる「ゲンをかつぐ」力士が多いという。

〝ゲン〟とは、〝縁起〟を逆にした〝ギエン〟からきたと言われる。縁起は、**〝因縁生起〟の略で、因縁によって万物が生起する**という仏教用語。たしかに科学では割り切れないものだが、自分の稽古《けいこ》不足を棚に上げて、ゲンばかりかついでいる力士は、ふんどしかつぎのまま終わらないともかぎらない。

「千両役者《せんりょうやくしゃ》」
百両ではだめなのか？

プロ野球の契約更改期になると、来季の年俸をめぐってさまざまなトラブルが起きる。平均年収五百万円といわれるサラリーマンの目には、年俸一億円などといわれると、よその世界の出来事のような気がするが、〝千両選手〟の出現はファンにとって悪いことではない。

昔は、〝千両〟の年収がとれる〝役者〟を「千両役者」といった。今のプロ野球でいえば、さしずめ「一億円プレイヤー」といったところだろう。そこから**〝格式が高く〟しかも、〝技量のすぐれている人〟**を指すようになったが、果たして今のプロ野球に、本来の意味での「千両役者」が何人いるだろうか。

「伏線《ふくせん》」

どこの線路のこと？

推理小説のおもしろさは、たとえば被害者だと思われるヒロインが、じつは犯人だったなどという〝どんでん返し〟のおもしろさにある。作者は、そこまで読ませるために、さまざまな〝仕掛け〟をつくっておくが、これは、推理小説に限らず、小説や戯曲の文章作法の一つでもある。

〝あとで述べることのために、それに**関連したことをあらかじめほのめかしておく〟文章技法**が「伏線」で、ストーリーを盛り上げるための手法の一つである。かつてよくあったことだが、政治家が、自分の選挙区に鉄道線路を敷く運動をしたりするのは、たとえ単線の鉄道でも、次の選挙に勝つための「伏線」である。

「冷奴《ひややっこ》」

どんな奴？

アメリカでは、〝トーフステーキ〟と呼ばれるほどに、ダイエット食として人気の高いのが〝豆腐〟だそうだ。この豆腐、油で焼いたりするより、なんといっても風情のあるのが

そ、花みょうが、おろししょうがなどの薬味を添えて出されるだけで、涼風が吹いてくる。

この「冷奴」、英語でcool guyとでも訳したら、もっと人気が上がるかもしれない。箸をつける前に、よく見れば、**正方形に切った豆腐は、武家の家来である「奴」が着ていた衣服の〃紋所〃**にそっくりだ。「冷奴」の名もここから出た。

どんな失礼も許されるの？
「無《ぶ》礼《れい》講《こう》」

江戸の神田祭と山王祭では、山車《だし》が江戸城内に入ることを許され、将軍や幕府の高官の前でお祭り騒ぎを演じてみせたという。武士でさえひれ伏す将軍の前で、町民があばれまわるのは、本来なら死罪に値する無礼だが、この日だけは、将軍も町民もこの「無礼講」を楽しんだという。

このように、**身分の上下を忘れ、礼儀を捨てて行なう宴**が「無礼講」だ。が、会社の宴会などで、上司が〃今日は無礼講でいこう〃と言ったからといって、上司に乱暴な口をきいたりしたら、たちまちその人間の評価は下がるだろう。「無礼講」のときほど実は〃有礼講〃なのが、サラリーマン社会である。

「太平楽《たいへいらく》」どんな状況のこと？

今の日本ほど平和な国はないと言われる。しかし、流行している音楽を聞く限りでは、そうとも言えないようだ。ロックなどリズムの激しいテンポの早い曲は、必ずしもピースフルな曲でないことが、それとなくわかるからだ。

というのは、雅楽に「太平楽」という曲があり、この曲は、全体にのんびりしている雅楽のなかでも、とくにゆったりしている。ここから、**悠長で状況にそぐわない好き勝手な言い分や、ぜいたくな言い分**を「太平楽」と言うようになった。

平和な時代、「太平楽」の夢に浮かれているといわれるが、ロックなどアップテンポの曲が常にはやっているのは、目に見えぬ不安がある証拠か。

「半《はん》ドン」一《いち》ドンとは何か？

ラーメン屋さんで、〝半ライス〟とか〝半チャーハン〟などを注文すると、半分の盛りでライスやチャーハンが出てくる。しかし、天丼やカツ丼を半分頼んでも〝半ドン〟とは言わない。

ふつう「半ドン」といえば、丼物《どんぶりもの》とは何の関係もない〝土曜日〟のことだ。江戸から明治にかけて、**日曜日や休日を〝ドンタク〟**ということがあった。これはオランダ語のzondag（日曜日）がなまったもので、「半ドン」とはその半分、つまり**半分の休日**という意味になる。

最近は週休二日制のところが多いが、二日のうち一日は家庭サービスで、お父さんの休日は今でも「半ドン」なのかもしれない。

「蒲焼《かばやき》」　鰻《うなぎ》なのに蒲とは？

夏になると、「土用の丑《うし》の日に鰻を食べてスタミナを」というような宣伝文句が氾濫するが、こうした広告の考案者をご存じだろうか。実はこれ、平賀源内《ひらがげんない》が知り合いの鰻屋に、夏に客足が落ちると嘆かれて、考え出したものなのだ。

鰻と言うと、現代では、開いて骨をとったものを思い浮かべるが、昔はまるのまま串に刺して焼いた。鰻を焼いたものを「蒲焼」というのは、この**まるのままの鰻が色も形も蒲《がま》の穂に似ていた**ことからきた。源内のおかげかどうか、今や「蒲焼」はともかく、鰻は年じゅう美食家に愛されている。

酒《さけ》の「肴《さかな》」

魚だけが肴なのか？

酒を飲むと気持ちが大きくなって、日ごろのうっぷんを晴らしたくなる。鬼部長やゴマスリ課長の下で働いている人間同士が集まれば、上司の悪口は格好の酒の「肴」になるだろう。サカナといっても、ウオだけを指す言葉ではない。ナ（菜）は、食べ物になる魚菜類のこと。つまり、サカナは〝酒菜〟なのだ。転じて、**酒の席におもしろみを添えるような、歌・踊り・話題**などにも使う。

とはいえ、いい年をした男たちが、〝部長のバカヤロー〟などと、飲み屋でくだを巻いているのはあまり格好のいいものではない。〝ああいうおじさんて、最低ね〟と、若い女性の酒の「肴」にされるのがオチだ。

「ちゃんぽん」

オランダ語？ 中国語？ 日本語？

ビール、日本酒、ウイスキーと、酒を「ちゃんぽん」に飲むと悪酔いしやすい。この「ちゃんぽん」という言葉は、一見外来語のようだが、実はれっきとした大和《やまと》言葉だ。

鉦《かね》を鳴らせば、チャンという音がする。鼓《つづみ》を叩けばポンだが、この鉦と鼓を〝チャン、ポン〟と合奏することを「ちゃんぽん」と言ったのがはじまりだ。そこから、**違う種類のものを混ぜること**を「ちゃんぽん」と言うようになった。酒の「ちゃんぽん」はいただけないが、「長崎ちゃんぽん」は、肉や野菜、魚介類など、たくさんの材料が「ちゃんぽん」に使われていて、なかなかおいしい。

「左団扇《ひだりうちわ》」で暮らす

クーラーがないの？

冷暖房が完備した最近の家庭では、「団扇」をとんと見かけなくなった。昔は、真夏の暑い日といえば、どこの家でもあちこちで団扇をパタパタ、それで涼を取っていた。とくに父親は、団扇のあおぎ方でそのときの機嫌がわかったものだ。右手でバタバタやっているときはたいてい機嫌が悪く、左手であおぐときはにこにこしていた。

たしかに、利《き》き手でない左手では早くスムーズにあおげない。そこから、「左団扇」が**リラックスしていること**、**安楽に暮らすこと**を指すようになった。クーラーのきいた部屋では、父親も涼しい顔をしていて、顔色をうかがうのはむずかしいようだ。

宴《えん》も「たけなわ」

宴会に、竹と縄が関係あるのか？

外国語も、日本に入ってきて外来語として定着すると、しばしば短縮される。〝メイクアップ〟が〝メイキャップ〟になったり、〝レモンエード〟が〝レモネード〟、そして〝ラムネ〟になったりする。

日本語のなかでも、同じことがある。たとえば、酒に酔っている人に〝ウタゲナカバ〟と発音してもらうと、おもしろい。きっと〝タケナワ〟と聞こえるはずだ。**いまが最高潮という「タケナワ」は、その〝ウタゲナカバ〟が縮まったもの。**となれば、杯が重なっても〝ウタゲナカバ〟と言えるうちは、宴は「たけなわ」ではない。みなが呂律《ろれつ》が回らず、〝タケナワ〟になったときこそ、「たけなわ」なのだ。

「天才肌《てんさいはだ》」

美容クリニックで作れるのか？

〝十で神童、十五で天才、二十歳《はたち》過ぎればただの人〟とよく言われるように、幼少のころの神童、天才ぶりを大人になってまで保つのはむずかしい。

しかも、天才には二種類あって、およそ**天才とは思えない天才と、いかにも天才らしい天才**がいる。後者を指して「天才肌」と言う。つまり、どこから見ても天才のような気風が具《そな》わっている人のこと。こういう人は、周囲の人々を〝さすが〟とうならせながら、一つの道をきわめていく。

いかに美容術が進歩し、美しい肌が思いのままになるとしても、「天才肌」だけは、絶対にできないだろう。

「おすそ分《わ》け」
分けてくれるものは何？

今の都市では、地縁の薄い核家族世帯の寄り集まりで、近所づき合いはあまりない。ひどい場合は、隣りの部屋で人が死んでいても、だれも気づかないことがある。これでは、昔は近所同士でよくやった「おすそ分け」など、望むべくもない。

「おすそ分け」とは、〝裾《すそ》〟つまり、**着物の端ほどのものを〝すこし分ける〟**という意味だが、「おすそ分け」がなくなったのは、女性ファッションも一因のようだ。今の短いスカートや体にフィットしたズボンになってから、分けるところがなくなってしまった。珍しいものなど、ちょっと分ければ、また珍しいものをいただける。近所づき合いの温かさである。

「便乗《びんじょう》」する　どんな乗り方？

文明開化のころ、新しい事物に接した人たちのこっけいなエピソードはたくさんある。中でも有名なのは〝郵便〟で、〝郵〟の字が〝垂《た》れる〟を含んでいたため、郵の字を書いたポストを大・小の用を足すところと思った人がいたらしい。

ひるがえって、現代の〝文明開化譚〟だが、「便乗」の意味をじっと考え、バキュームカーに乗ることだと言った人がいたとかいないとか。これも笑い話だが、もちろん〝便〟には、こういった〝クソマジメ〟な意味のほかに、〝便宜《べんぎ》〟などの意味があるから、**〝便宜につけ込んで利用する〟**という意味になる。

「鳴《な》りもの入《い》り」　にぎやかなほうが、人気も出るのか？

歌舞伎には、その名が示すとおり常磐津《ときわず》、長唄、浄瑠璃《じょうるり》などの歌と舞が欠かせない。歌はとくに重要で、**舞台のそでで三味線や太鼓などの鳴りものが演奏**され、にぎやかにはやし立てて、舞台を盛り上げる。これが「鳴りもの入り」だ。

昔の歌舞伎の観客は、なかなか目の高い連中がそろっていて、新しい役者がいくら「鳴りもの入り」でデビューしても、下手だとなれば、見向きもしなかったという。現代の新人スターも同じで、芸能プロダクションがいくら莫大な宣伝費を使ってにぎにぎしく売り出しても、実力がなければあとが続かず、みじめなことになる。誇大な宣伝は、ツケが高くつく。

「たらふく」食べる
鱈《たら》のように食べること？

ゴルフをやっている人たちのあいだで〝ゴルフにタラレバなし〟という言葉がある。ゲームのあとで〝もし……したら優勝だったのに〟〝……すれば40台が出た〟と悔やんでも、仕方ないという意味だ。これが食糧難時代なら、さしずめ〝もうすこしご飯があったら、腹一杯になれた〟ということになる。

これが語源でないのは言うまでもないが、といって、〝鱈の腹〟と考えるのも正しくない。なるほど鱈の腹はふくれている。しかし、〝鱈腹〟は当て字で、語源は〝足らい脹《ふ》くるる〟である。〝足らう〟は**足りる、満足する**の意。〝満腹〟より満ち足りた語感があるのは「たらふく」が和語のせいだろう。

「千鳥足《ちどりあし》」

酔っぱらった鳥のこと？

アメリカの酒酔い運転の検査方法はいたって簡単なもので、日本のようにゴム風船など使わず、地面にまっすぐな線を引き、そこを歩かせる。右足が線より左にそれたり、左足が右にはみ出したりしたら、ただちに検挙される。これは日本でいう「千鳥足」であり、多少の酒酔い運転は認めるアメリカでも、これではさすがに捕まるのである。

「千鳥足」とは、**千鳥が歩くときに、左右踏み違えて歩く**ことからきたものだが、別に千鳥は酒を飲んでいるわけではない。ごく自然の歩き方がこうなのだ。アメリカの千鳥が交通取締りにかかると、全羽、検挙ということになる。

「芝居《しばい》がはねる」

芝居が跳んだりはねたりするのか？

東京の街で意外に根強いのが、〝若者パワー〟ならぬ〝おばさんパワー〟だそうだ。デパートのバーゲンセールは相変わらずおばさんが群れをなしてやってくるし、明治座や歌舞伎座などの劇場でも、芝居の〝終わり〟、つまり「芝居がはねる」ころは、若者のロックコンサートも顔負けの盛況となる。

「芝居がはねる」とは、**芝居が終わったとき小屋の出口の筵《むしろ》をはねあげた**ことから、〝終わる〟という意味を指すようになった。興行が当たることも〝はねる〟と言うが、これは跳んだりはねたりのほうだ。人生という〝お芝居〟も、車になんかはねられないで、満員盛況のうちに〝はね〟たいものだ。

「板《いた》につく」どんな板につくのか？

ベテランの舞台俳優でも、デビュー当時は舞台に立つと緊張して足がガタガタ震えたという。だが、何度も舞台に立つうちに慣れてきて、堂々とした演技ができるようになる。

この舞台のことを楽屋用語で〝板〟と呼び、舞台にしっくり調和することを「板につく」と言う。今では一般にも使われる言葉になり、**仕事に慣れている様子や、服装が似合うこと、地位にふさわしい態度**などを指す。

最近は、若い俳優でもすぐに劇団の座長になったりするが、座長職は板についていても、芝居のほうは板についていないこともある。

「わんぱく」将来の大物候補？

〝わんぱくでもいい〟というテレビコマーシャルがあったが、〝でもいい〟という言い方に、できることなら、「わんぱく」でないほうがいいという親の期待がうかがわれる。

しかし、〝わんぱく坊主〟も、けっして捨てたものではない。**〝関白《かんぱく》も元わんぱくの御末也〟**と豊臣秀吉のことをうたった川柳《せんりゅう》があるが、〝関白〟と「わんぱく」は大いに関係があるという。

〝関白〟とは、天皇を補佐して政務をつかさどる最高職のことだが、「わんぱく」は、この〝関白〟が変化した言葉だという説がある。手に負えないいたずら坊主こそ、将来、大物になる可能性があるということだ。

「拍車《はくしゃ》」をかける　自動車にも必要なのか？

二十一世紀に入っても、日本車の輸出攻勢はなかなか衰えないようだ。この調子だと、トヨタやホンダなど、一部勝ち組企業だけは明るい兆《きざ》しも見えるが、そのしわ寄せがきている他業種のなかには、自動車業界を暴走ぎみと非難するむきもあるそうだ。しかし、ものが車だけに、生存競争に「拍車」をかけても仕方がないかもしれない。

というのも、「拍車」とは本来**馬術用語で、乗馬靴についている金具のこと**だ。これで馬の腹を蹴って前に進む。車とはいえ、前に進むにはやはり「拍車」が必要なのだろうか。

もっとも、馬なら手綱《たづな》を引けば暴走も止められるが、車ではそういうわけにはいかないようである。

「水際《みずぎわ》立つ」

水際がどう立つのか？

だいぶ前のことだが、中曾根政権の中にあって、後藤田官房長官は、当代きっての切れ者として有名だった。その手腕には、与野党を問わず一目置いていた。彼は、問題が生じるたびに、水際作戦を開始。大問題に発展する前に処理する名人だった。周到な準備と緻密な指揮ぶりで水ももらさない態勢づくりは、まさに〝切れ者〟の名にふさわしかった。

〝水際〟とは陸が海や川などと接するところで、陸との区別がはっきりしていることを「水際立つ」と言う。そこから一般に、**鮮やかに際立つ様子を指す**ようになった。〝玉虫色〟の答弁が多いなかで、後藤田さんの明快な言葉は、「水際立って」いた。

「駄菓子《だがし》」

お駄賃で買う菓子？

昔の子どもにとって、「駄菓子」を売っている駄菓子屋へ行くのは楽しみの一つだった。わずかのお小遣いで何を買おうかと考える、子どもの買物の練習場だった。

「駄」は、〝駄犬《だけん》〟〝駄洒落《だじゃれ》〟というように、〝つまらない〟の意で、「駄菓子」は、**安い、つまらないお菓子のこと**であった。駄菓子屋は、都市ではまったく姿を消してしまったが、代わりに、最近ではスーパーに〝駄菓子コーナー〟ができ、いい材料を使った特製のお菓子が並んでいる。少々高くて「駄菓子」とは言いにくいが、安い量産の〝袋菓子〟にはない郷愁も買っていると思えばいい。

「ぼやき」

どんな焼きものなのか？

昔、上方漫才に、人生幸朗《こうろう》・生恵《いくえ》幸子《さちこ》というコンビの〝ぼやき漫才〟があった。ボケ役の幸朗がのんびりとした関西弁で、〝しょーもない〟文句をボソボソとつぶやく芸は、独特のペーソスがあり、見ていると思わず笑いがもれてしまった。

最近でも、あれこれ〝しょーもない〟文句を並べる漫才はあるが、機関銃でも撃つかのように、大声でポンポン相手をやり込める点が幸朗・幸子コンビとは違う。ぼやっとしていると、話のスピードにとり残されてしまう。

「ぼやく」は**〝つぶやく〟から転じた**と言われる。一人、**小声でボソボソ言う**のが〝つぶやき〟だから、漫才としてはむずかしい芸だ。

「万歳《ばんざい》」

百歳、千歳ではうれしくない？

日本に来た外国人が、最初に覚える日本語は〝アリガトウ〟〝サヨナラ〟〝ドウモ〟、そして〝バンザイ〟だという。イギリスの日本人学校で、新任の校長が生徒全員に「万歳」を唱和させ、地元民のひんしゅくを買ったというニュースが伝えられたが、外国人にはひどく奇異なものに映るらしい。

そもそもこの習慣、明治二十二年（一八八九）、帝国憲法が発布された祭典のときが始まりだという。**〝一万年〟といった意味で、それほどの繁栄を祝ったり願ったりする**ことである。野球がゲームセットになるや、スタンド総立ちで「万歳」するのは、いささかオーバー、外国人でない私の目にも奇異に映る。

PART-⑦

悲しみをともなう日本語

「閑古鳥《かんこどり》が鳴く」「つれない素振《そぶ》り」

「なし崩《くず》し」
何を崩すのか？

住宅ローン、教育ローン、オートローンと、現代はローンの花盛りで、ローンを返すために働いているのではないかという人も少なくない。なかには、ローンの返済でクビが回らなくなって、夜逃げをする人もいるというから、無理は禁物だ。

このローン、ふつう〝貸付金〟と訳される言葉だが、貸し付けられた、つまり借りた者にとっては、「なし崩し」と訳したほうが実感がある。〝なし〟は、〝無し〟ではなく〝済《な》し〟で〝返済〟の意味だ。その返済をすこしずつ果たしていくのが〝崩す〟で、「なし崩し」と言えば、〝借金をすこしずつ返す〟という意味になる。そこから、一般に**〝何かをすこしずつする〟意味**になったわけだ。仕事なら「なし崩し」にやれば、いつの間にか終わる。

「閑古鳥《かんこどり》」が鳴く
鳴くと、どうなる？

〝カッコウワルツ〟などで有名な「カッコウ」という鳥は、世界のどこの国でも、だいたい同じような名前で呼ばれている。英語で書けばcuckooだし、フランス語ではcoucou、トルコ語で gukuk で、日本語では kakkoo に当て字をして〝郭公〟と書く。

いずれも鳴き声からきた名前だが、日本では〝閑古鳥〟とも呼ばれ、梅雨どきの鳴き声は、どこかもの淋しい。そこから、**〝生活が貧しかったり、商売がはやらない様子〟**を、カッコーの鳴き声にたとえて、「閑古鳥が鳴く」というようになった。英語で〝crying cuckoo〟といったら、どんな意味になるのだろう。

「夜《よ》なべ」

なべとは何のこと？

日本の受験制度はたしかに苛酷《かこく》だが、一方で、受験生の過保護も問題になっている。受験生をかかえる家は、家族すべてが犠牲になり、夜などは親が遅くまで起きていて、夜食を作ってやる。そんなところから、受験生に夜食は必要かどうかの〝論争〟にまで発展したことがあった。

この論争に決着をつけるというわけではないが、**夜遅くまでの勉強**という意味の「夜なべ」なら、夜食必要説に軍配が上がる。しかし、「夜なべ」のもとは〝夜延べ〟とも、〝夜鍋〟とも言う。単に、夜遅くまでという意味ならば、夜食は不要。鍋をつつくほどの夜食は、食べ過ぎになる。

「ごますり」

ごまでないといけないのか？

ごまの種はごく小粒だが、栄養価は高い。お菓子に使ったり、油を採《と》ったりして用途も広く、小さい割には大いに役立っている。

ところが〝ごまをする〟となると、一転して悪い意味になり、毛嫌いされる。

すり鉢でごまをすると、経験のある人ならわかると思うが、すりつぶされて、すり鉢のあちこちにくっつく。これに似て、**周りの人たちのあいだを飛び回っては、へつらい、迎合する小粒な人間**のことを「ごますり」と呼ぶようになったのだ。こんな人物は、口先だけで相手をごまかそうとする。毛嫌いされて当然だろう。

「はなむけ」

何をどこに向けるのか？

〝……愛するあなたに、贈る言葉……〟とは、大ヒットしたテレビドラマ、『3年B組金八先生』のテーマソングの一節だ。人が旅立つときというのは、新しい出発にしても、悲しい別れにしても感傷を誘うものである。昔の人はそんな情感を、「はなむけ」によって表わした。

「はなむけ」は、〝馬の鼻向け〟の略で、見送る人が、旅立つ人の乗る馬の鼻を行く方向へ向けたことに始まる。今では、それが**〝旅に出る人へ贈る品物や金銭、詩歌〟などを指す**ようになった。花嫁にあてた父の〝贈る言葉〟が、この世でいちばん哀しい。

心の「葛藤《かっとう》」　心がどうなる？

『若きウェルテルの悩み』や、『ハムレット』の例ほどでなくても、私たち近代人はみな多かれ少なかれ〝哲学者〟だ。〝生か死か〟といった高級な悩みでなくても、身近な色恋ざたや賭けごとの勝ち負けでさえ、身のよじれるような〝悩み〟を悩む。

まさに思いは千々《ちぢ》に乱れ、もつれからむというところから、このような**心中のさまざまな思いの闘い**を、葛《つた》や藤《ふじ》のからまり合いになぞらえて「葛藤」と言うようになった。しかし、葛や藤がしっかりとからまり合い生長して立派な花や実をつけるように、人間も、結局この心のなかの葛や藤を成長させて、たくましい大人になっていく。

「たわいない」

たわいって何のこと？

旧制中学に通っていたころ、めっぽう剣道が強い男がいた。学校ではその男にかなうものがいない。小手を取られれば腕がしびれるし、面を打たれれば卒倒しかねない。はじめから勝負にならないので、ついにその男はだれとも真剣に立ち合わなくなってしまった。彼がその当時〝たわいない奴らめ〟と私たちをあざけっていたかどうかは覚えていないが、「たわいない」はそういう状態のことを言った。

囲碁《いご》の世界では、対局のことを〝手合《てあい》〟という。そこから、**相手不足のことを〝手合無(手合も無き)〟**と言ったが、それが「たわいない」の語源だという説がある。

「つれない」素振《そぶ》り

何がないのか？

かつて、女性にとってもっとも「つれない」男の代表は、笹沢左保氏の小説の主人公、木枯紋次郎《こがらしもんじろう》だという説があった。ふつう女性が男性に不満を抱くのは、〝実《じつ》がない〟〝情がない〟からだ。では「つれない」とは何がないことか。〝連れ〟がいないのなら、むしろこちらには〝つれなく〟するはずはない。

じつは、この〝つれ〟は**人間の〝連れ〟ではなく、〝つながり〟〝関係〟のこと**だ。だから、「つれない」は、〝かかわりのないこと〟になる。となると、名セリフ〝あっしには、かかわりのないことでござんす〟の紋次郎が、もっとも女性に「つれない」男ということになる。

「がらんどう」　がらん、というのに静かなのか？

学生がぜいたくになった、という話をよく聞く。マンション風の部屋にはステレオ、ビデオ、冷蔵庫と、家具や備品があふれているらしい。だが、その一方で、机や本棚のない部屋に住んでいたりするという。これで、果たして勉強ができるのか、と心配になる。昔の学生の部屋はというと、机が一つあるだけで、まさに「がらんどう」だった。

「がらんどう」は、**擬態語の〝がらんと〟に、部屋の意味の〝堂〟を結びつけてつくった**言葉らしい。〝がらんと〟した部屋ほど、身がひきしまって勉強に身が入るということもある。お寺の本堂なんか、いちばんいい。

「がに股《また》」 がにとは、どんなもの？

童謡、童話で幼いときからなじみがあるせいか、カニは、人間の行動や様子を表現するときに、よくたとえに使われる。〝カニの念仏〟と言えば、人間が小声でブツブツ文句を言うことだし、〝カニの穴入《あなはい》り〟と言えば、人間があわてふためいて逃げ込むさまを言う。

〝トリは食ってもドリ食うな〟と言うように、トリを濁ってドリと言うと、トリの変わった部分、つまり肺臓を表わす。これと同様、カニをガニと言うと、変な様子のカニを言う。「ガニ股」は、カニの脚の妙な形に似ているということから**〝人間の両脚がO字形に曲がった状態〟**を言うようになった。

「落第《らくだい》」 どこから落ちること？

学校教育では、依然、いわゆる〝落ちこぼれ〟の問題が深刻である。とくに三学期の終わりになって進級できないとなれば、親は半狂乱の騒ぎになる。しかし、それほど騒がねばならないことなのだろうか。

昔から進級できないことを「落第」というが、この**〝第〟は、官吏登用試験のこと**である。中国の官吏登用試験はたいへんな狭き門で、「落第」をくり返してようやく及第したのだった。昔の旧制高校では、「落第」するほうが〝楽だわい〟とばかり、自分の勉強に打ち込んでいた人がいた。つまり旧制高校の「落第」は、勲章に似たところがあった。

「通夜《つや》」

夜どおし何をする？

〝葬式ばあさん〟の名で知られた有名な女どろぼうがいた。有名人の「通夜」に喪服《もふく》を着て現われ、なに食わぬ顔で焼香をして、スキあらば香典を失敬し、ただちに消える。成功率はあまり高くなかったらしいが、そのうちに、彼女が〝通夜の客〟として現われないと、その葬式は一級でないと、妙な評価をされるようになった。

しかし「通夜」とは、もともと**神社や寺にこもって、徹夜で勤行《ごんぎょう》祈願する**ことで、そこから葬儀の前夜、**夜どおし棺のそばで遺体を守る**ことを意味するようになった。だから、現われてすぐ消える客は、〝葬式ばあさん〟を笑えない。

「一介《いっかい》」のサラリーマン

どんなサラリーマン？

私の知人に、〝一介《かずすけ》〟という名前の男がいる。中小企業の部長を務めるこの男、気っぷもよく、仕事もできるところから、部下の人気もなかなかに高い。親は、長男だから一、男を表わす〝すけ〟に介の字を選び、〝一介《かずすけ》〟という名をつけたようだが、この「一介」は、「いっかい」と読むと、とたんに意味が変わるから、日本語はむずかしい。

「一介」の〝介〟は、数を数える〝個〟の意味だから、「一介の」は、**ただ〝ひとりの〟ということで、そこから、〝つまらない〟の意味**にもなった。一介《かずすけ》さんは、長男だが一人っ子ではなかった点で、つまらないサラリーマンにならずにすんだようだ。

「へなちょこ」

どんなチョコ？

小学校の運動会では、競走を途中でやめてすぐすわり込んだり、跳び箱ができずに泣き出したりする生徒がいるようだ。戦後、小学生の体格はよくなったが、体力が落ちたとはよくいわれることだ。こうした子どもたちが大人になると、困難にぶつかってすぐ腰のくだける

「へなちょこ」になるのではないかと、いささか心配になる。だからと言って、子どもの大好物のチョコレートが、こうした子どもをつくったのではない。

上方語では、**〝人の態度が弱々しい〟ことを〝へなへな〟、〝態度が落ちつかない様子〟を〝ちょこちょこ〟**と言う。「へなちょこ」はそこからきたらしい。

「へっぴり腰《ごし》」

どんな腰つき？

〝百日の説法屁《へ》ひとつ〟という言葉がある。ありがたい説法をする人もオナラをしたとたんに信用されなくなる。だから、物事は最後まで気をゆるめるなという戒めの言葉である。オナラひとつで、その人の人格や能力の評価が変わるというのも少々疑わしい。それはともかく、オナラをするときの格好は、あまりいいものではない。

「へっぴり」とは、文字どおり〝屁を放《ひ》る〟ときの腰つきを言ったものだ。あえてそのスタイルを言えば、**お尻を後ろに突き出した、不安定な腰つき**ということになろうか。説法はしないまでも、やはり人前では見せないほうがいい。

「あばら骨《ぼね》」

どんな骨のこと？

時代劇の浪人は、たいていガリガリに痩せ、障子の破れた家に住むものとパターンが決まっているようだ。胸から左右の脇にかけて浮いて見える骨を「あばら骨」といい、破れ放題の障子に戸もないような荒れた家を〝あばら屋〟というが、なぜかこの両者の関係は深い。実は語源的には無理のない話で、**〝あばら〟とは梵語《ぼんご》で〝空《から》〟の意。隙間《すきま》のあることを**指す。肉や筋がなく、骨と骨のあいだが開いていることから、隙間が多い様子やあけ広げた状況なども意味している。あばら骨の出た浪人が、あばら屋に住むのも何かの因縁かもしれない。

「いや応《おう》なし」

何がないこと？

近頃、外国人タレントがさかんにテレビに出てくるので、変な日本語にも「いや応なし」につき合わされる。外国人だけならまだしも、外国人っぽい発音の日本人タレントもいるからたいへんだ。これが国際化時代だと、しんぼうしている。

「いや応なし」の〝いや〟はノー、〝応〟はイエス、だから**ノーもイエスも言わせない、無理矢理の意味**になる。外国人タレントが発する〝オーノー〟は、〝いや応〟と逆だが、同じ意味の「いや・応」というわけではなく、ただの感嘆詞にすぎない。しかし、〝オーノー〟と言えるのは、〝いや応あり〟というわけだ。

「年貢《ねんぐ》の納《おさ》めどき」

三月十五日のことか？

毎年三月十五日は、税金の確定申告の締め切りの日だ。〝酷税〟に泣く人は多く、自営業者や、サラリーマンでも給料の他に収入のある人などは、この日までに申告をすませなければならない。

江戸時代も税金はそれ相当に重く、ただ、現代と違って、現金ではなく農作物だった。納める相手は、地主や領主だった。年貢を滞納するときびしく罰せられたので、観念して滞納分を清算したが、そのときのことを「年貢の納めどき」と言った。現代では、**悪事が露顕し、逮捕されるとき**にこう言う。三月十五日までに税金を納めておけば、「年貢の納めどき」などくるはずがない。

「鴨居《かもい》」　カモが居たのか？

ちょっと縁起の悪い話で恐縮だが、自殺する人の何割かは、鴨居にひもをかけて首をつる。なぜ首つりに鴨居を使うかといえば、部屋の中でもっとも高い位置にあり、しかもひもがかけやすい構造になっているからだ。

部屋の上部にあって、**引戸、障子やふすまなどをはめる、溝をつけた横材**であることから、〝上居（かみい）〟が転じて「鴨居」になった。

また、防火のまじないに、水の中に住むもの、ということから鴨の形につくった、という説や、神社のトリイ（鳥居）に対するものから、という説もある。いずれにしても、首はかけないほうがいい。

「身《み》から出た錆《さび》」　人の体が錆びるのか？

昔から、〝刀は武士の魂〟と言われたが、この魂、ちょっと手入れを怠ると錆が出てしまい、いざというとき役に立たなくなる。手入れの悪い〝魂〟のおかげで命を落として、〝自《じ》業自得《ごうじとく》〞と悔やんでも、もう遅い。これこそ、「身から出た錆」というわけだ。

この場合の〝身〟とは、**〝刀身〟、つまり、ふだんはさやの内におさめられている部分**のことで、自分の身体や身内のことではない。しかし、浮気が原因で、奥さんに高い慰謝料を払って離婚せざるをえなくなったり、子どもを甘やかしたあげく、非行に走られたりするのも「身から出た錆」。何事も、日ごろの心がけが大事だ。

「殿《しんがり》」

お殿様は最後？

オリンピックの入場行進では、開催地国の選手は最後に入場する。だから、行進の最後にひときわ高い拍手を受ける花形だ。ところが、戦国時代、陣列の最後尾をうけもつ〝殿隊《しんがりたい》〟は、損な役まわりだった。特に負け戦のときは、敵の追撃をくいとめ、味方を逃がしてやらなければならない。

〝どん尻を駆ける〟ことから〝しりがり〟という言葉が生まれ、**〝臀《しり》〟に通じる〝殿〟の字をあてた**ようだ。戦国の殿《との》は、形勢不利と見ると、真っ先に逃げた。今でも、秘書や部下に罪をなすりつけて逃げる〝えらい人〟がいるが、最後までがんばりとおしてこそ、ほんとうの〝殿様《とのさま》〟だろう。

「つかぬこと」を伺いますが

何がつかないのか?

最近の若い人たちの会話を聞いていると、お互いが好き勝手なことをしゃべるだけで、いわゆる〝会話のキャッチボール〟がないという感じがする。

会話というのは、相手の言ったことを受けたり、あるいは否定したり、いずれにしろ、流れというものがあるのがふつうだ。だから、常識人なら、そこから外《はず》れるような質問をするときには、「つかぬこと」を伺いますが、と断わる。「つかぬこと」とは、〝あとに続く〟という意味の〝つく〟を否定した言葉で、**〝話の流れにはつき従うことではありませんが〟と断わる**のだ。最近の若者の会話は、「つかぬこと」だけで成り立っているらしい。

「とどめ」を刺す

どこを刺すこと?

中国療術の研究家、林聖堂《りんせいどう》氏の『双極療術《そうきょくりょうじゅつ》入門』によると、人間の急所は体の表裏に、六十八カ所あるという。そこを狙えば、専門家なら一撃で相手を倒すことができる。その急所の六十八カ所の一つが〝のど〟で、「とどめ」という。だから、「とどめ」を刺すと言えば、のどを刺して、確実に息の根をとめることである。それが、転じて、**ことを確実に処理する、決定的打撃をあたえる**の意味になった。

のどは急所で大事なところだから、高校生などの剣道では、のどへの突きは、「とどめ」を刺さないよう禁止されているわけだ。

「実家《じっか》」に帰る

実家はどこか？

〝茨城の実家に寄ってきましてね〟と、国立大学の教授ともあろう人に、こんなあいさつをされると、彼は養子だったのかと疑ってしまう。**嫁に行った者、養子に行った者が実の父母の家に行く**ことが「実家に帰る」だったが、嫁をとった一家の主人も、近ごろは、〝いなかに帰る〟〝うちに帰る〟という代わりに、「実家に帰る」と言うようになった。

実家は、婚家で疲れた体や心をいやす場所である。今は、一家の主人も奥さんから逃れて実家でくつろぐようになったのかもしれない。しかし、両親が亡くなると、その家はいわば〝虚家〟になって、帰ろうにも帰れなくなる。

「とうが立つ」 どこに立つの？

料理上手な奥さんは、野菜を買うとき、葉や茎が大きく育ったホウレンソウや、白い花の部分が開きかけたカリフラワーを〝とうが立っている〟と敬遠する。この〝とう〟は〝蕗《ふき》の薹《とう》〟の〝薹〟と同じで、**花茎や、ホウレンソウ、アブラナなどの葉茎**のことだ。生長しすぎると、〝とうが立った〟状態になり、硬くてまずくなるのである。

人間にも、こうした〝食べごろ〟があるかどうかは知らないが、適齢期を迎えると「とうが立つ」前に自分をアピールしようと一所懸命になる。たしかに、男も女も三十歳を過ぎると初々《ういうい》しさが消え、煮ても焼いても食えぬしたたかさを発揮することが多い。

「おそまきながら」 なぜおそいのか？

受験戦争は相変わらず激しいが、最近は、有名幼稚園も〝狭き門〟だという。有名大学に入るには、幼稚園のときから競争することになるのだ。

しかし、受験勉強など、高校生ぐらいになって「おそまきながら」始めても、有名大学に入ることは十分可能だ。というのも、「おそまきながら」という言葉、本来は**草花の種をまく時期を言う〝早まき〟と〝晩《おそ》まき〟**からきている。たとえ〝おそまき〟でも、りっぱに花や実をつけることはできるのだ。もっとも、「おそまきながら」始めても、水や肥料をやらないと、早々に〝サクラチル〟という結果になりかねない。

「棒《ぼう》に振《ふ》る」

振る棒は何の棒？

ブランド衣料品で人気を集めていたメーカーが、突如、倒産したことがある。出回りすぎてブランドの人気が落ちかけたころ、各地で安売りセールをしたため、一気に客が離れたからだという。

この会社は、創業以来の経営努力や苦労を〝棒に振った〟わけだが、「棒に振る」とは、一説によると、この安売りに関係があるらしい。昔、**店を構えることもできない商人は、魚や野菜などの商品を天びん棒でかついで売り歩いた**ので〝棒手振《ぼうてふり》〟と呼ばれた。よい商品を棒手振で売っても、安物扱いされ、商売はいっこうに繁盛しなかった。一生を「棒に振る」のがオチだったのである。

「大根役者《だいこんやくしゃ》」
なぜ〝大根〟なのか？

歌舞伎の名優、八代目坂東三津五郎《ばんどうみつごろう》は、フグの毒に当たって死んだ。危ない内臓をあえて食べたという点に、単に食通だからといって片づけられない何かを感じる。もしかしたら、彼は歌舞伎の隆盛を願うあまり、わざわざ危険な部分に箸《はし》をつけたのではなかろうか。

それというのも、わけがある。「大根役者」という言葉は、大根は煮ても焼いても当たらない（食中毒にならない）ところから、**いくらがんばっても客席が沸《わ》かない**ことにたとえられたという。

坂東三津五郎は、当たる恐れが強いフグの内臓を食べ、大当たりして、この世を去った。ここが、大根役者とは根っから大きく違う点だったのだ。

「万引《まんび》き」
なぜ万なのか？

本屋さんの話だと、さして大きい店でなくても、本の種類が多いので、いつの〝間に〟か何冊かなくなっていても、気のつかないことが多いそうだ。高価な本より、新書本などをこっそり〝引き〟抜いて、知らんぷりの手合いが多いらしい。

「万引き」は、もともと〝間に引き〟から出ている。〝間〟とは、〝何かと何かのあいだのちょっとの時間〟、つまり〝すき〟なのだ。**〝すきを見て〟、ねずみが〝引く〟ように盗む**のが「万引き」だ。「万引き」婦人をつかまえてみると、これが金持ちの令夫人だったりする。「万引き」が趣味で、「ただ〝間〟が悪かった」と、平然とすましたりしている。

「ぶっきら棒《ぼう》」どんな棒なのか？

〝棒〟のついた言葉は、悪い意味で使われることが多いようだ。〝棒読み〟〝棒に振る〟〝針小棒大〟〝やぶから棒〟といった具合だが、とくに、〝泥棒〟という言葉などは、もとは〝坊〟だったのだから、〝棒〟がぬれぎぬを着せられて泥を塗られた例だ。

「ぶっきら棒」も、悪く使われる一例だ。この言葉、昔の庶民の菓子〝ぶっきりあめ（打切飴）〟からきている。水あめを煮つめて棒状に切ったものを〝ぶっきり棒〟と呼んだが、それが訛《なま》ったものだ。味はよくても、**ただの素っ気ない棒に見える外観がマイナス**だったようだ。人気を失って姿を消し、悪用された名前だけが残された。

「もみ消《け》し」

やけどはしないのか？

先日、テレビに〝火消し犬〟という犬が出ていた。投げ捨てられたタバコを見つけると飛んで行き、体をこすりつけたり、口にくわえたりしながら、その火を消すのである。マナーといった意識があるかどうかはともかく、この犬、マナー違反を必死で「もみ消し」ていることには変わりがない。

「もみ消し」は、〝火を手でもんで消す〟というのが本来の意味で、ここから、**自分に不利なこと、悪い噂が燃え広がらないようにする**ことをいうようになった。しかし、いくらあわてたからといって、不用意に「もみ消し」を図ろうとすると、手を汚すどころか大やけどをしかねない。

「とんちんかん」

とんまな人の頭を叩いた音？

昔なつかしい小学唱歌に『村の鍛冶屋《かじ》』というのがある。〝しばしも休まず槌《つち》打つ響き〟は、「とんちんかん」だ。リズムはじつに軽快だが、実際の鍛冶屋の相槌の音は、交互に打つため調子のそろわないことがある。そこから、「とんちんかん」は、**〝物事が行きちがいになる〟**ことや、**〝とんまな人間〟**を指すようになったという説がある。

一方、「とん」は、〝とんま〟のことだと主張する人もいる。さらに、「ちん」は語調を整えるための語、「かん」は〝漢〟で男のことだという説もある。この説に従えば、「とんちんかん」なことをするのは、男だけということになってしまう。

「足《あし》がつく」　どこにつくのか？

かつての三億円強奪《ごうだつ》事件のように、犯人がつかまらないまま迷宮入りになる事件があるのは、ひょっとすると日本の道路がアスファルトだからではあるまいか。

昔、日本の道は土の道だった。泥棒にはいっても、土の地面に足跡がついて、だいたい正体がばれてしまう。大泥棒の石川五右衛門が、つかまって釜ゆでにされたのも、この足跡のせいなのだ。そこから、**犯人の足どりがわかること**を「足がつく」と言うようになったのではないかと、勝手に考えている。もっとも、今の科学警察のこと、たとえ道路がアスファルトでも、「足がつく」ようになるに違いない。

「ドジを踏《ふ》む」

何を踏むこと？

〝国技館たったふたりにこの騒ぎ〟と川柳にあるように、国技、相撲の人気はかつて大変なものだった。相撲では、先に土俵を割った者が負けというルールは、小学生でも知っている。足の指一本でも先に出た者が負けるわけで、そうなると、土俵際のきわどい勝負の判定は、慎重にせざるをえない。だから、土俵の外側は、いつもきれいに掃《は》き清められている。

昔は、この**土俵外に足を出して負けることを〝土地《とち》を踏む〟**と言った。変なトチということからドチとなり、さらにドヂ（ドジ）となったという。相撲とりには、ときどき「ドジを踏んで」、角界という土俵を踏み出す人もいる。

「あたら」若い命を……

新しい命？

三島由紀夫の死を止めるためには、自分が市ヶ谷の自衛隊に同行してもよかった、という趣旨の文章を三島の死の直後に書いた川端康成だったが、皮肉なことに、彼自身の死も、だれにも止めることはできなかった。二人の天才を失って久しいが、いまだにその死を惜しむ声は衰えない。

〝あたら命を……惜しまれる〟という具合に使われる、この「あたら」は、**〝惜しい〟という意味の〝あたらし〟に由来**する。だから、「あたら……惜しまれる」というのは重複した表現である。

三島も川端も、命があったらいつまでも生きていてもらいたかった存在である。

「奈落《ならく》」　どこまで落ちる？

以前、若い歌手が、舞台のせり出しにスカートの裾《すそ》をはさまれて、大ケガをしたことがある。それ以来、半身不随の生活を余儀なくされているというが、ちょっとした不注意から文字どおり「奈落」の底につき落とされてしまったわけだ。

歌舞伎の舞台で、役者がせり出してきて、やおら見えを切るのは、一つの大きな見せ場だ。あのせり出してくるところの下は、地下室になっていて、そこを「奈落」と言う。もともとは仏教からきた言葉で、サンスクリットの〝ナラカ〟に、**〝どこ〟を示す「奈」と、〝落ちる〟の意の「落」を当てたもので、〝地獄〟**のことだ。

「陳腐《ちんぷ》」

何が悪くて腐ってしまうのか？

私は多少俳句をやるが、いい句ができたと内心得意で師匠に見せると、その場で〝こりゃ陳腐だね〟とやられて、腐ってしまう。「陳腐」は、**古くさくて、つまらない**の意。〝月並み〟というのと意味は同じだが〝チンプ〟という音のせいか、〝月並み〟よりパンチがきいて、こたえる。私だけでなく、みんなも同様にやられるので、仲間のあいだでは略して〝これはチンだ〟と言い合っている。

「腐」は、〝腐る〟こと。ものが腐るのは〝古い〟せいである。では、「陳」とは何か。〝新陳代謝〟という言葉があるように、「陳」は〝新〟の反対、つまり〝古い〟ことだ。「陳腐」は、まさに〝古い古い〟ということになる。

「しみったれ」

垂れるのは汁、しみは垂れないはずだが？

カンパだといっても百円しか出さないやつは「しみったれ」だ。しかし、「しみったれ」ているのは会社も同じで、ことしの賃金回答も〝しぶい〟ものだったが、社員は〝しぶしぶ〟受け入れた。「しみったれ」の「しみ」の語源はよくわからないが、**〝しぶい〟〝しぶしぶ〟の〝しぶ〟**となんらかの関係がありそうだ。

けちけちしていれば、服装もみすぼらしくなる。たとえば、飲み物をこぼして、〝しみ〟だらけになったズボンを、替えもしないで〝でれッ〟とはいている、だらしない男は、「しみったれ」と言われても仕方がない。

PART-⑧

「豹変《ひょうへん》する」「藪《やぶ》から棒《ぼう》」

驚きと関連する日本語

「あべこべ」

どちらが正しい？

最近は、万事〝さかさま〟の時代のようだ。家では、一家の主《あるじ》であるはずの亭主が小さくなって、女房、子どもがいばりちらしている。学校に行けば、〝師の影〟を平気で踏まれるようになった先生が、生徒になぐられて教壇の陰にかくれている。会社では、社長が社員のご機嫌をとって、なんとか不況を乗り切ろうと四苦八苦している。

どうも〝あっち〟と〝こっち〟が逆になったようで、これを〝彼方此方《あべこべ》〟と言う。そこから、**〝本来の状態が逆になっていること〟**を「あべこべ」と言うようになったと言われるが、いつになったら、〝あっち〟が〝こっち〟にくるのだろうか。

「てんやわんや」の大騒ぎ

どんな大騒ぎ？

料理など自分でつくったことのない若い者同士が結婚して、自分たちのアパートに客を大勢呼んだ。飲めや歌えやの大宴会になったが、料理はできないので、全部店屋《てんや》ものにした。すし屋、ラーメン屋、うなぎ屋が入れ替わり届けてきて、箸はとび散るわ、お椀《わん》は散乱するわで、これぞほんとうの「てんやわんや」だと冗談を言っていた人がいた。

状況としてはまさに〝店屋椀や〟だが、もともとは**各自勝手の〝てんでん〟に〝無茶苦茶〟を表わす上方言葉〝わや〟が付いてできた**言葉らしい。このパーティも、たしかに注文はてんでんばらばら、後片づけも無茶苦茶の「てんやわんや」だったろう。

「勇《いさ》み足《あし》」

勇者の足？

相撲の決まり手には、俗に四十八手といわれるように四十八種の技がある。今では八十二手だそうだが、こちらが仕掛けないうちに、相手のほうが勝手に負けてくれるのが「勇み足」だ。せっかく、相手を土俵際まで追い込みながら、**勢いあまって自分の足が、相手の足より先に出てしまう**のだから、こんなにつまらないことはない。

〝過ぎたるはなお及ばざるがごとし〟で、元気がいいのもほどほどにしないと、この「勇み足」のように、結果で〝仕損じる〟ことが多い。煙たい上役を追放しようと、〝窓際〟まで追いつめながら、自分が窓際族になってしまうなどがそのよい例だ。

「豹変《ひょうへん》」する
豹がどう変わるの？

先日、週刊誌をパラパラめくっていたら、年下の男性に殺されたピアノ教師の記事が出ていた。〝美人ピアノ教師が「豹変」したのはなぜか〟。要は、仲睦《むつ》まじかった夫婦の一方が、突如、年下の男と深い関係に陥り、別れ話がこじれて、ついには殺されてしまったという〝醜い〟事件だった。

ご承知のように、豹の毛は、季節によって抜け替わり、斑紋が美しくなる。そこから、**〝態度や意見がガラリと変わる〟**ことを「豹変」と言うようになった。だから、〝醜く〟なるのは「豹変」ではないはずだ。〝君子豹変す〟という言葉もあるように、「豹変」するのは、〝君子〟と相場が決まっていたのだが。

「血《ち》みどろ」
まみれとみどろはどう違う？

ウオツカをベースにトマトジュースを混ぜたカクテルをブラッディ・マリー（Bloody Marry）と呼んでいるが、これを直訳して、〝血まみれのマリー〟と言ったのでは飲む気がしなくなる。

「血みどろ」も、〝血まみれ〟も、英訳すればbloodyしかなさそうだ。漢字で書けば両方とも〝血塗〟になるけれど、両者のニュアンスは微妙に違う。「血みどろ」は〝血乱《みだ》れ〟からきたという説もあるくらいで〝血みどろの販売合戦〟というように比喩的に使われることもある。その点、〝血まみれ〟は、あくまで視覚的なので、**〝血まみれの激闘〟と言えば、ほんとうに血を流している**ことになる。

「一目散《いちもくさん》」に逃げる

どんな逃げ方か？

隣りの庭に忍び込んで、柿をもいでいるところを見つかって、つるっ禿《ぱ》げのおじさんにどなられ、仲間のひとりは柿の木が折れてつかまったが、あとは必死に逃げた経験がある。

こういうときに使う「一目散」の語源説の一つに、〝一目連《いちもくれん》〟という神様からきているというのがあるが、その神様というのは、ピカピカ光りながら国じゅうを走り回り、激しい風雨をまき起こすというから、まさに〝かみなりおやじ〟のようなものだ。

また一説に、**〝一目不散〟、つまり目を散らさず、わき目もふらずに走るさま**からきたとも言う。ピカッ、ゴロゴロときたら、わき目もふらずに走り帰るに限る。

「奥《おく》の手《て》」

どこから手を出すのか？

私の知人に、狂の字がつくほどのゴルフ好きが一人いる。彼によると、ゴルフは左手のゲームだそうだ。ゴルフスウィングで、ボールをまっすぐに飛ばすのは左手で、それほど左手というのは重要な役目を果たすのだという。これは、ゴルフに限らない。

平安朝のころから、この左手を「奥の手」と言って尊重する風潮が高まり、今では〝**起死回生の策**〟**をこう呼ぶ**ようになった。ゴルフのとき、バンカーなどで、初心者が何度打っても脱出できず、思いあまって、手でボールを砂から出すことを〝手の五番〟というが、これを左手でやれば、文字どおり「奥の手」ということになるか。

「手だれ」

手がだれているの？

時代小説に出てくる〝手だれ者〟と言えば、これはもう諸国に名を知られている剣の使い手と相場はきまっている。○○殺法やら××剣法やらをたくみにあやつり、胸のすくような立ち回りを演じる。

「手だれ」は、手に十分技量が足り備わっているという意味の〝手足《てだり》〟が変化した言葉で、**腕前が優れていること**を言う。

もっとも、時代小説のなかでは、そんな「手だれ者」も、しばしば男あしらいに熟練した〝手だれ女〟に、いいように弄ばれてしまう。手は足りていても、頭のほうは、あんまり足りていないのかもしれない。

「折角《せっかく》」 角を折るとどうなる?

流行《はやり》というのは、人が人の真似をし、それがどんどん広まっていくことだ。人気歌手が変わった服装をすれば、あっという間に若いファンに広まる。とても着て外を歩けないような服装も、流行となればおかしくなくなる。

こうした現象は、古代中国にもあった。郭林宗《かくりんそう》という人が雨にあい、かぶっていた頭巾《ずきん》の角がひしゃげてしまった。ところが、人々はそれがおしゃれだと思ったのだろう、以来、**わざわざ頭巾の角を折って頭にかぶるのが流行した**という。わざわざ角を折ったから「折角」というわけで、「折角」だから、このさい覚えておいたらいかが?

「ひとたまり」もない

たまりとは？

日本人は、世界一貯蓄に熱心な国民だと言われるが、一時期、預貯金の利息が安くなったため、株に手を出す人がどっと増えた。しかし、先年の暴落でも明らかなように、また大暴落がくれば、庶民の蓄財の夢など、あとかたもなく吹き飛んでしまうだろう。

「ひとたまり」もないとは、まさにこのことである。〝たまり〟とは、〝溜《た》まり〟のことで、お金がたまる、力をためるのように、**ある場所にとどまる、保ち続ける、耐えしのぶ意味を**表わす。小さな水溜まりのようなわが家のたくわえなど、経済の大波、大風で、いくらためても〝ひと溜まり〟も残らずけし飛んでしまうということか。

「藪《やぶ》から棒《ぼう》」

なぜ藪からなのか？

昭和二十五年に黒澤明監督が作り、ベネチア映画祭でグランプリを受賞して有名になった映画『羅生門』は、芥川龍之介の短編小説『藪の中』に題材を取ったものだった。藪の中で起こった盗賊と若夫婦の事件は、結局真相が藪の中のようにわからない。藪はやはり、おい茂って何が出てくるかわからない場所の象徴なのだ。
そんな**藪から突然、棒がにょきっと出てきたら、人はだれでも驚く**だろう。〝寝耳に水〟〝鳩に豆鉄砲〟〝窓から鑓《やり》〟で驚くのと同様である。『羅生門』では、棒は棒でも泥棒が出てきた。用人棒が出てくれば若夫婦の悲劇は避けられたろうが。

「度《ど》肝《ぎも》を抜く」

抜かれるとどうなるの？

接待などでお酒を飲む日が続くと、肝臓の調子を気にする人が多いが、昔の人も、肝臓には注意を払っていた。心臓に心が宿るように、肝臓には、勇気や気力が宿ると考えられていたからである。

だから、医師から、お酒の飲みすぎで肝臓の機能が低下していると言われ、〝もしや〟とヒヤッとすることを〝肝《きも》を冷やす〟と言うし、〝そんなに悪かったのか〟と**ひどく驚くのは、〝肝をつぶす〟**だ。「度肝を抜く」も〝肝をつぶす〟と同じ意味で、この〝度〟は〝肝〟を強める接頭語だ。理性を失い、大声を出して周囲の「度肝を抜く」ような飲み方は、肝臓を守るためにもしないほうがいい。

「大向《おおむ》こう」をうならせる

誰を驚かせるのか？

テレビなどを見ていると、現代は修練を重ねた名人芸より、素人芸《しろうとげい》が受ける時代なのだとつくづく感じる。センスとスピード感さえあれば、素人っぽい芸でもすぐ受け入れられ、スターになれる。

昔の芝居小屋では、**観客席の後方に低料金の立見席**が設けられていた。ここが〝大向こう〟で、ここの観客の中に**芝居通が多かったことから、名人芸のたとえ**として「大向こうをうならせる」という言葉が使われた。昨今は観劇人口が減少の一途《いっと》で、劇場はかろうじて団体客でもっているという。うならせたくても、目の肥えた「大向こう」がいなくなったのではなかろうか。

「焦眉《しょうび》の急《きゅう》」

どれくらい急いでいるのか？

江戸の町は、何回か大火にあっている。なにしろ家が木と紙でできているから、火のまわりも早く、風下《かざしも》の家など、取るものも取りあえず逃げるしかなかったろう。そのせいかどうか、〝尻に火がつく〟〝足元に火がつく〟など、〝火〟が使われている言葉には、物事が切迫している状態を表わすものが多い。「焦眉の急」もその一つだ。

眉が焦《こ》げるくらい火の危険が迫っているのだから、**もはや一刻の猶予もならない**というわけだ。しかし、最近のように新建材を使った建物だと、火の手があがる前に有毒ガスが発生し、「焦眉の急」に気づいたときはもう遅い、ということもあるらしい。

「つけ焼《や》き刃《ば》」

これでは、よく切れない？

プロの料理人が使う包丁は、高価でも、刃を研《と》げばいつも切れ味がよく、何十年も使える。が、料理が不得意な女性が買う安い包丁は、すぐ切れなくなる。だから、たまに料理の本を見ながら腕をふるったつもりでも、できあがりが不手際《ふてぎわ》で、「つけ焼き刃」の知識でつくったことがすぐわかる。

「つけ焼き刃」とは、本来、なまくら刀に鋼《はがね》の焼き刃をつけ足したもののこと。転じて、**一時の間にあわせに覚えた知識や技術**のことを言うようになった。刀だけでなく、包丁も、安いものは「つけ焼き刃」が多い。道具を見るだけでも、その人の知識や技術が本物かどうかは、すぐわかってしまう。

「てきめん」に効く

どの程度効くことか？

宣伝・広告の世の中、誇大広告には気をつけなくてはならない。薬の広告で、〝絶対治る〟とか〝百パーセントの効果〟などとあると、とかくひっかかるものだ。では、〝効果てきめん〟と言ったときは、どの程度効けばウソにならないか。

「覿面《てきめん》」の〝覿〟は〝見る〟の意味で、「てきめん」とは〝相手の顔をまざまざと見る〟こと。そこから、**直接的、具体的で、効きめがはっきり現われる**ことを言う。だから、何カ月も飲み続けて、少々効果がある程度では、とても効果「てきめん」とは言いがたい。誇大広告だと、お灸《きゅう》をすえられ、返品の山にでもなれば、それこそ〝天罰てきめん〟である。

「八面六臂《はちめんろっぴ》」の活躍

だれの活躍のこと？

〝猫の手も借りたい〟ほどの忙しさになると、だれでも〝もっと手足があったらな〟〝もっと、頭があったらな〟と考えるのではないだろうか。

仏教では、さまざまな苦に悩む多くの者を救うために、千手観音《せんじゅかんのん》や、三面六臂（三つの顔と六本の手を持つ）の摩利支天《まりしてん》などの神が考えられた。

人間にもときおり、**神様顔負けに一人で何人分もの働きをする人**がいる。まさに、八つの顔に六つの肘《ひじ》を持つかのようなので、「八面六臂」の活躍と言うのだ。千手観音や摩利支天にあやかり、「八面六臂」とはいかないまでも、せめて持ち前の体の表・裏（腹部と背部）を駆使して、〝二面二臂〟程度の働きはしたいものだ。

「矢《や》つぎ早《ばや》」

どれほどの早さか？

武器の歴史の中でも、鉄砲の発明はやはり画期的なものだった。そしてその鉄砲も、旧式の先ごめ銃が、回転弾倉を持ったリボルバーにかわってさらに進歩し、一発ずつ弾《たま》をこめなくてもよくなった。

弓矢では、回転式のような技術革新は行なわれなかったが、そのぶん、矢の一本一本をつがえる早さが磨かれ、競われただろう。つまり、「矢つぎ早」の者が勝つわけで、ここから**素早くたたみかけること**を言うようになった。今でも国会などでは、やはり「矢つぎ早」の質問が相手を攻撃する武器として使われているが、肝心の質問が〝矢〟のように鋭くなくては、本来の効果を上げることはできないだろう。

「戸惑《とまど》い」を覚える

戸が迷うとどうなるのか？

団地など同じような棟《むね》が並んでいると、酔っぱらって帰ったときに、隣家をわが家と間違えることがある。大きなホテルも然《しか》り。新婚旅行で、入る扉を間違えて、隣りの部屋に闖入《ちんにゅう》した新郎が、暗闇の中で見知らぬ女性であることに気がつかなかったという、笑い話のような実話があるという。

「戸惑う」は、そもそも入るべき家や部屋の〝戸〟がわからなくてまごついてしまうことだった。これから、**何かに直面してまごつくこと**と一般に用いられるようになった。先の話の場合、ほんとうに「戸惑う」のは、言うまでもなく、入った人間より、入られた相手だ。

「一大事《いちだいじ》」

大事なことは一つしかないのか？

亭主が疲れて会社から帰ってくると、女房がさもたいへんなことがあったかのように興奮している。何事かと思って詳しい話を聞くと、〝一大事よ〟と断わったうえで、〝向かいの家の犬が三匹子どもを生んだ〟というようなことだったりする。

思わず女房を怒鳴りたくなる瞬間だが、そこは仏心を出し、いっそ仏様の話でも始めるのがいい。

「一大事」とは、そもそも**仏様がこの世に生まれるにあたって目的にしたこと**を言う。だから、めったやたらに使ってはバチがあたる、と。現代では、〃一つの大きな事〃の意味で気軽に使い、仏様もあきれ顔である。

「てんてこ舞《ま》い」する

踊っているヒマがあるのか？

〃舞踊〃という言葉があるが、専門家に言わせると、〃舞〃と〃踊〃は、微妙に違うそうだ。〃舞〃は、手の動きが少なく、旋回運動をするもので、〃踊〃は、手の動きが早く、跳躍運動を指す。

「てんてこ舞い」の〃てんてこ〃は太鼓の音。だから、これに〃舞い〃がつくと太鼓に合わせて舞うことになる。〃舞い〃だから、飛び跳ねることはないが、旋回はあるわけで、これが転じて**目の回る忙しさの意味**になった。

忙しさのなかで「てんてこ舞い」していて、ふっと気がつくと、他人の音頭《おんど》で〃踊らされていた〃などということがあるかもしれない。

「いやが上《うえ》にも」

何の上なのか?

町内の綱引き大会は、天気もよし、応援も大勢、「いやが上にも」気分が盛り上がる。この**〝いや〟は、いやさか(弥栄)の〝いや〟と同じで、〝いっそう〟〝ますます〟**の意。その〝いや〟よりも上が〝いやが上〟である。

ところが、最近〝いやだけど〟という意味でこれを使う人がいる。綱引き大会に出るのは恥かしいし、手にマメもできる。「いやが上にも」、おつきあいで出てくるというわけだ。そんな人に、〝いや、そうじゃない〟と言ってもダメ。いやな言い方だと言ってもダメ。結局、数にものを言わせて、いよいよさかんになる気配だ。

「ごっちゃ」

どんな状態のこと?

かつて、現役横綱の蒸発、廃業という、角界始まって以来の不祥事が発生したことがあった。親方の報告によれば、部屋で食べる〝ちゃんこ鍋〟が原因ということだったが、案外それが真相かもしれない。

「ごっちゃ」は「ごった（混多）」と同じで、**いろいろなものが混ぜ合わさって、混乱しているさま**を言う。〝ちゃんこ鍋〟は、まさにその「ごっちゃ」の典型で、魚、肉から野菜までいろいろなものが入って栄養価を高めている。〝ちゃんこ鍋〟同様、相撲取りにもいろいろな人間がいて、それが同じ部屋にいっしょにいるのだから、問題も起きよう。

「きな臭《くさ》い」　どんな匂い？

戦争や内戦が起こりそうなとき、よく「きな臭い」といわれるせいか、「きな臭い」を火薬の爆発した匂いと、勘違いしている人がいた。

しかし、元来はそんな大げさな匂いではなく、〝きぬ（衣）くさい〟がもとになっていると言われている。つまり、布、紙、綿など、植物性のものが焦《こ》げる匂いが「きな臭い」で、そこから、**何か悪いことが起こりそうな気配がする状態**を、こう呼ぶようになった。

たしかに、布などが燃えれば火事になる恐れがある。それで死者が出たり、全財産がなくなれば、戦争でひどいめにあうのと同じではある。

「チョンになる」どうなるのか？

古い話だが、禁煙用パイプのコマーシャルで、小指を立てて、〝私はコレで会社を辞めました〟と言うのがあった。その影響か最近のサラリーマンは、クビになるジェスチャアをするのに、小指を立てるようになった。以前だったら、手を刀に見たてて、実際に首に当てる真似をしたものだ。

と言っても、昔も小指を交差させて、「チョン」になったと言った。「チョン」とは、芝居の幕切れに打つ拍子木《ひょうしぎ》の音からきている。〝物事の終わり〟**〝それっきり〟という意味で、ついに、〝首切り〟**を言うようにもなった。こんな話、これで「チョン」にしたい。

「すっぱ抜《ぬ》く」「すっぱ」って何のこと？

森喜朗前首相退陣の際、次の首相はだれかと、マスコミ各社はスクープ合戦を展開したが、どこもモノにできなかった。だが、これがもし忍者なら、たやすく「すっぱ抜いた」だろう。というのも、〝すっぱ〟とは忍者のことを言う。彼らは敵情視察のためにはどんなところへでも忍び込み、**敵を出し抜くことで情報を手に入れた**からだ。

現代の〝すっぱ〟である写真週刊誌のカメラマンたちは、隠しカメラや盗聴マイクといった当世の忍び道具をたずさえて、情報収集のために走り回っている。しかし、「すっぱ抜き」の技においては、昔の忍者にとうてい及ばないと思うが、どうだろう。

「大袈裟《おおげさ》」 坊さんの袈裟と関係があるのか？

刀を大きく振りかぶり、相手の肩先から斜めに「エイ！」と斬りおろすと、斬られた相手もいかにもオーバーなアクションで死んでゆく。これが、ひと昔前までの時代劇のヤマ場と決まっていた。物事を実際よりたいへんなことのように話したり行なったりする意味に使われる「大袈裟」のいわれは、大きく袈裟がけに相手を斬ることという説もあるが、しかし、それよりは、**話や動きをオーバーにする〝大気《おおげ》さ〟が語源**で、字に〝大袈裟〟を当てているだけと考えたほうがいいだろう。

袈裟の字を当てられたお坊さんにとっては、迷惑な話だ。

「珍糞漢糞《ちんぷんかんぷん》」珍しいフン？

ファッション雑誌の文章くらい、私にとって難解なものはない。なにせページによっては、並んでいる言葉の半分がカタカナだ。それもフランス語あり、英語あり、なかには、そのページを書くにあたって勝手に造語したのではと、首をひねるファッション語（？）もあって、まるで暗号文である。こういうのを「珍糞漢糞」と言わずしてなんと呼ぶべきか。

もともと「珍糞漢糞」という言葉は、**外国人の言葉の口真似からきたとも、儒者の漢語をからかった**ものとも言う。よほどの悪口だろう。〝珍紛漢紛〟でもいいのに、〝紛〟の代わりに〝糞〟の字を当てている。

「無鉄砲《むてっぽう》」ピストルをもっていても無鉄砲か？

一時代前、暴力団の組長が殺され、一般市民も巻き込んでの一大抗争へと発展した事件があった。警察の取り締まりにもかかわらず、最近の暴力団はすぐ拳銃をぶっぱなす。命知らずの若者が、ピストルを手にして「無鉄砲」に相手に殴り込むわけだが、よく考えるとこの言葉、ちょっとおかしい。

「無鉄砲」とは〝無点法《むてんぽう》〟が変化したもの。〝無点法〟は、漢文に訓点がつけてないことで、これでは読みにくくて仕方がない。そこから、**向こう見ずに事を行なうこと**を言うようになった。それにしても「無鉄砲」な当て字で、人騒がせなことである。

「内幕《うちまく》」外幕はあるのか？

映画やテレビの時代劇の合戦風景で、陣を張っている場面がよく出てくるが、時代考証のよくできているものは、幕のなかにさらに幕が張ってある。文字どおり、これを「内幕」と言う。ここは、**大将や参謀が合戦の作戦なり、密議なりをこらす奥どころ**で、だからこそ、味方にも隠す必要上、幕を二重にしたのだ。

このように、たった幕一枚の内と外とで、世界が二つに分かれる。「内幕」に隠されれば隠されるほど見たくなり、聞きたくなるのは人情の常で、だからこそ週刊誌の「内幕」暴露ものはよく売れるのだろう。

「あわを食《く》う」

泡はどんな味がするのか？

最近の若者は、あわてることが少ないようだ。遅刻しそうでも、あわてず騒がずマイペースで悠然と歩く。朝の忙しい時間に、泰然自若《たいぜんじじゃく》としてハンバーガーをほおばり、シェークという泡のような飲み物を飲んでいる。泡を口にしているのに、いっこうに「あわを食う」様子がないのを見ると、**〝あわ〟は泡のことではない**らしい。

〝あわ〟は、〝慌てる〟の語幹だ。〝食う〟は〝肘鉄《ひじてつ》を食う〟〝割を食う〟と同じ用法で〝出くわす〟の意味である。それにしても若者があわてないのは、彼らが腹の据《す》わった大物だからか、それとも、自分のことしか考えないからか。

「段取《だんど》り」

何を取ること？

犯人がすぐバレてしまったり、ストーリーに矛盾があるなど、最近のドラマのなかには、話の筋立てがスムーズにいっていないものもある。そんなとき構成がヘタだと言う人はいるが、「段取り」が悪いと言う人は少ないようだ。というのも、最近は、「段取り」をもっぱら仕事の手順という意味で使うからだろう。

「段取り」とは、もとは**歌舞伎の言葉で、筋の運びのこと**だった。能や浄瑠璃《じょうるり》でも使われ、その基本になるのが、構成単位である〝段〟だ。何段かの話が並べられて、一つのストーリーとして完結するわけだ。段取りの悪さが破綻を招くのは、芝居も仕事も同じである。

「やおら」立ちあがる　どんな身のこなしか?

会議などの席上、自分が何か思いつくと、人の発言中にもかかわらず、突然、ガバッと立ち上がって話し出す人がいる。こういうとき、〝彼は「やおら」立ちあがって……〟などと表現する人もいるが、これはちょっとおかしい。

「やおら」とは、柔道のことをいう〝やわら〟と同じ語源だ。だから、本来は**柔らかな態度でゆっくり立ち上がる**ことを言うものだ。人が話している最中なのに、それをさえぎって自分の話をまくしたてるような人は、一般に自説にこりかたまった頭の固い人が多いようだが、発言の順番ぐらいは、〝やんわり〟注意したほうがいいかもしれない。

「面食《めんく》らう」

顔にかみつくのか？

〝美人にしか興味がない〟と豪語していた男が、自慢の彼女に別の恋人ができて、あわてふためく。こんな状況はさしずめ〝面食い〟が「面食らう」とでも言うのだろう。とかく美人の彼女がいたら、彼女の心を冷まさないように注意が必要だ。

と言うのも、「面食らう」には、〝冷まさないようにあわてる〟という語源説があるからだ。栃《とち》の実で栃麺《とちめん》というソバを作るには、粉を早く練りあげないと冷めて固くなる。そこで**大急ぎで麺棒を使うところから、あわてることを〝栃麺棒を食らう〟**と言った。それが略されて〝麺食らう〟、さらに「面食らう」に変化したわけだ。

「かんがみる」

何を見るのか？

〝長嶋る〟〝トラバる〟など、人名や〝トラバーユ〟のような外来語に〝る〟をつけて、動詞をつくるのが若い人のあいだで流行したことがある。〝日本語が乱れる〟と、これを苦々しく見ている年配の人もいたが、そうした人が重々しく口にする「かんがみる」も、じつは

〝鏡〟に〝る〟をつけた造語だったと言ったら驚くだろうか。〝ん〟があいだに入っているので、重々しく聞こえるが、〝鏡る〟と書いて**鏡に照らして見ること、要するに先例や手本と比べ合わせて考えること**だ。こうした例を「かんがみる」につけ、若者たちの造語も日本語の乱れといちがいには決めつけられない。

「青天《せいてん》の霹靂《へきれき》」
青空がどうなること？

ある自動車の輸入販売会社で、それまでは企業活動の第一線から退いていた会長が、突然、社長をクビにして現場に復帰した事件があった。社長は、思いがけない事態に驚いたが、相手はワンマンな〝雷オヤジ〟だし、義理の父に当たるので、従わざるをえなかったようだ。

こうした予想外の突発的な出来事を「青天の霹靂」と言う。青く**晴れた空に〝霹靂〟、つまり雷鳴が突然起こること**を言った。それにしても、先の社長にしてみれば、業績も順調で、経営的にもさしたる失敗がないときに義父から落とされた雷は、まさに「青天の霹靂」だったろう。

「ホラを吹《ふ》く」

何を吹くの？

ポピュラーの名曲『夕焼けのトランペット』を聴くと、ジーンとしてしまう。ところが、私の友人は、あの曲は、〝大言壮語〟的だよ、と笑う。理由は、〝法螺貝《ほらがい》〟を英語で〝トランペットシェル〟と言い、この曲にも、トランペットならぬ、「ホラを吹く」のイメージを抱いてしまうという。だが、これはいささか屁理屈《へりくつ》というものだ。

「ホラを吹く」とは、昔、**山伏が修験道《しゅげんどう》の修行《しゅぎょう》のため山に入るとき、猛獣を恐れさせるために法螺貝を吹いた**ところから、〝大言を吐く〟意味に変わった。けっして、日本のトランペッターが〝大ぼら吹き〟というのではない。

「けれん味《み》」

おいしい、まずい？

いま、もっとも客が呼べる歌舞伎俳優の一人は、市川猿之助だと言われている。その理由は、舞台に早替りや宙乗りなど、理屈ぬきに見て楽しめる趣向が凝らされているからだ。しかし、猿之助がこうした芝居を始めたころは、歌舞伎の型を重んじる長老俳優たちは、けっしていい顔をしなかったという。

というのも、早替りや宙乗りは、〝外連《けれん》〟とされる演出の一つで、**本来の芸道から外れる、奇抜さだけを狙ったもの**とみなされていたからだ。たしかに、日常生活では「けれん味」のない態度は好感を持たれるかもしれないが、芝居の〝外連味〟なら、こちらは歓迎する人も多い。

「いみじくも」　いいことか、悪いことか？

先年、磐梯《ばんだい》高原の五色沼《ごしきぬま》を散策中、先を歩いていた若い女性が、沼の美しい景観を目の前にして〝うわぁ、やだぁ〟と叫ぶ声を「いみじくも」耳にした。この女性は沼が〝いや〟だったわけではない。あまりの美しさに、感嘆の声を上げたのだろうが、現代女性のあいだでは、〝いやだ〟という否定語が肯定語として用いられる場合が少なくない。

この「いみじくも」も、〝やだぁ〟にどこか似ている。「いみ」は〝忌み〟であり、「いみじ」は、元来〝とんでもない〟と、はなはだしく望ましくないことを意味するが、転じて**〝まことにうまく、適切に〟という肯定的な意味**に使われるようになった。

「胸倉《むなぐら》」
胸のどこに倉があるのか？

プロレスの実況中継を聞いていると、アナウンサーが、〝胸倉めがけて、空手《からて》チョップを一発見舞いました〟などと、興奮して叫んでいる。この「胸倉」を、〝胸〟や〝胸のあたり〟などと言うと、どうも興奮が伝わらない。

この〝倉〟、もともとは〝座《くら》〟からきている。〝座〟には、その場所という意味があり、〝高御座《たかみくら》〟といえば、高貴な人がいる場所というのが言葉どおりの意味で、天皇という地位のことである。「胸倉」も、**胸のある場所、胸のあたり**を指していて、特別の意味はない。もっとも、プロレスラーにとっては、〝股座《またぐら》〟と同様、大事な場所だろう。

「摩訶不思議《まかふしぎ》」
どれほどの不思議？

富士宮の奇石博物館は、先代が加賀白山《かがはくさん》の山中から「摩訶不思議」な石を見つけたことから石のとりこになって、世界じゅうから石を集めたのに始まる。その石は、バスケットボール大の真っ黒な石で、なんとも不思議な石である。

不思議なことは世の中にたくさんあるが、そのうちでも、不思議さの程度が大きいのを「摩訶不思議」と言う。「摩訶」の漢字の意味は、〃こすって（摩）どなりつける（訶）〃ということだから、〃大きい〃こととは何の関係もない。それもそのはず、これはサンスクリットの〃マハー〃（仏教語で「大」の意）に〃摩訶〃の字を当てたまでのことだ。

PART-⑨

人生の機微をめぐる日本語

「いわくつきの人物」「世間《せけん》ずれのした男」

「駆《か》け引《ひ》き」

前進か後退か、それが問題？

明治維新で藩がなくなり、職を失った元武士の中には、商売を始めた人が多かったが、その大半は、〝武家の商法〟で失敗したという。商売で大事な「駆け引き」のコツを知らず、したたかな商人たちにすっかりしてやられたらしい。本来、武士は「駆け引き」を心得ているはずだ。徳川三百年の泰平の世の中で、忘れてしまったのだろうか。

というのも、「駆け引き」は、戦場で、攻め進むことを〝懸《かく》〟、退くのを〝引《ひく》〟といったところから、**機をみながら自在に攻めたり退いたりすることを指す**からだ。この「駆け引き」の腕が鈍いようでは、商売での成功もおぼつかないだろう。

「落《お》とし前《まえ》」をつける

後ではだめか？

映画『男はつらいよ』の主人公、車寅次郎の本職は、いわゆる〝てき屋〟で、言葉巧みに客の購買心をそそるところがじつにおもしろい。〝買った買ったはオヤジの頭〟といった口《こう》上《じょう》よろしく、最初はわざと値段を高くつけた商品を、適当に下げて売ってしまうところなどは、人間心理をじつによく心得ていると感心させられる。

その道の世界では、このように〝値段を適当なところに落とす〟ことを、「落とし前をつける」と言うのだそうだ。そこから、**〝もめごとの後始末をつける〟こと**を言うようになったが、今ではこの値段、非常に高くついているようだ。

「いわくつき」の人物

何がついているの？

家賃が相場よりぐっと安いアパートや、自分とは不釣り合いな美人との縁談などは、飛びつく前に、よく話を聞いたほうがいい。〝実は〟その部屋で殺人事件があったとか、美人だけど大いびきをかくとか、「いわくつき」のことが多いからだ。

「いわくつき」の〝いわく〟は、『論語』の〝子曰《いわ》く〟の〝曰く〟と同じで、〝言うこと〟だ。そこから転じて、〝実は〟と打ち明けられないと、外からはわからない、隠れた事情の意味がある。「いわくつき」とは、**好ましくない特別な事情があること**だ。〝実は〟のあとに続く〝いわく〟は、たいていロクな話ではない。

「どんぶり勘定《かんじょう》」

なぜいい加減なことになるの?

今でこそ、小さな店にもレジが置かれ、売上げがきちんと記録されるようになったが、すこし前までは、魚屋さんや八百屋さんの店先には、お金を入れるカゴがぶら下がっていることが多かった。

客から受け取った代金をそのなかに放り込み、お釣りも、このカゴから出す。ときには、そのカゴから子どもに小遣い銭を渡したり、亭主が飲み代を持ち出すこともあった。「どんぶり勘定」ならぬ〝かご勘定〟だが、**昔はほんとうに〝どんぶり〟を使っていたらしい**。お金の出し入れをきちんと管理せず、いい加減な「どんぶり勘定」にしておくと、お金もたまりにくいし、税務署にとやかく言われる。

「おはらい箱《ばこ》」

お金をはらう箱のこと?

パソコンなど、新しい機種がつぎつぎに出て機能が充実してくると、古い機種はどんどんとって代わられる。そのサイクルの短さは驚くばかりだ。

その昔、伊勢神宮で配った御祓《おはら》いのお札《ふだ》などを入れた箱のことを「御祓い箱」と言い、一年ごとにこの箱が配られると、古いお札などが不用になるところから、**不用品を捨てたり、使用人を解雇したりする**ことを〝おはらい箱にする〟と言うようになった。

お札でさえ、一年間は「おはらい箱」にならずに勤めるのに、人間は、役立たずと見られると、一カ月、二カ月で「おはらい箱」になるのが、日本の企業社会のきびしいところだ。

「天敵《てんてき》」　空にいる敵？

どんな動物たちも、文字どおり、〝食うか食われるか〟のきびしい生存競争にさらされている。ある動物を食べた動物が、次にはほかの動物に食われてしまうという〝食物連鎖〟によって、自然は成り立っているのだ。〝食われる〟ほうにとって、**〝食う〟やつは〝けっして、ともに天をいただくことのできない〟**まさに「天敵」だ。

小さな昆虫にとってのカマキリや、アブラムシにとっては、自分を食べにくるテントウムシは、「天敵」ということになる。次期社長の椅子を狙って、きびしい戦いを続ける専務と常務は、お互いに「天敵」で、敗《ま》けたほうは、子会社にとばされる。

「置《お》いてけぼり」

何を置き去りにする？

江戸の昔、本所《ほんじょ》に釣り好きの江戸っ子が集まる池があった。ところが、終日ここで釣りを楽しみ、さて帰ろうかと獲物をビクへ入れて暗い道を歩きはじめると、どこからともなく、〝置いてけ、置いてけ〟という声が聞こえる。さしもの江戸っ子もこれにはたまらず、獲物を置き去りにして、一目散に逃げ出したという。これが**〝本所七不思議〟の一つ、〝置いてけ堀〟の怪**のあらすじである。

この話から、「置いてけぼり」という言葉が生まれた。最近では、東京じゅういたるところで、怪しげなネオンの店の奥から〝置いてけ〟の声が聞こえるらしい。

「杓子定規《しゃくしじょうぎ》」

どんな定規？

課長や部長にも、いろいろな人がいるが、部下からもっとも嫌われるのは、失敗を恐れるあまり、従来のやり方にこだわって、新しい試みに挑戦しないタイプだという。こんな上役に限って、〝自分なりの物差し〟を持てなどと、自分のことを棚に上げてお説教したりするものだが、彼らが持っているのは、「杓子定規」という物差しだ。〝杓子〟とは〝しゃもじ〟のことで、昔は柄《え》が曲がっていたから、これを定規にしたら、正しい直線も曲線も書けない。そこから、**〝きまりきった考えとか習慣にとらわれて応用のきかない〟こと**を言うようになった。この「定規」、石頭が使う。

「世間《せけん》ずれ」のした男　用心すべきか否か？

〝人の噂も七十五日〟を逆手《さかて》にとって、悪いことも平気でやり、結構かせいでいる男がいる。こういう男は、一方で、やたらと人をほめて、何かいいことが返ってくることを期待もする。**人の心のウラオモテを知り尽くした男**が「世間ずれ」のした男だ。世間で人にこすられたり、もまれたりした結果、生まれてくる。

まわりの人が、厚手のコートをまとっているのに、ひとりシャツ一枚でふるえていたり、真夜中に緊急でもない電話をかける。こういう男は、世間の常識からずれているが、これを「世間ずれ」のした男とは言わない。

「疑《ぎ》心《しん》暗《あん》鬼《き》」
どんな鬼のこと？

以前、自分のことを憎んでいると思い込んで、部下が上役をバットでなぐり殺すという事件があった。ちょっと叱られただけで、自分は憎まれているんだと決め込んで、あげくの果てに殺人事件をひき起こすのだから、上役と部下の関係もむずかしい。

もともと、古代中国で〝疑心暗鬼を生ず〟といったのが、「疑心暗鬼」だけでひとり歩きをするようになった。**疑う心があると、「暗鬼」が出てくる**ということ。「暗鬼」は、〝暗いところに出る幽霊〟のことだ。すべて疑ってかかると、なんでもないことでもこわく見え、鬼を退治するつもりで、上役を殺してしまうことになる。

「見《み》てくれ」が悪い
どうすればよくなる？

現代は〝パフォーマンスの時代〟と言われる。自分をいかに演出し、他人に見てもらうかが、評価のカギになるというわけだ。たとえば、自民党の総裁選びの際も、候補者たちは、どんな〝パフォーマンス〟を示すかに腐心するようだ。

この〝パフォーマンス〟を日本語に翻訳すると、「見てくれ」ということになろうか。「見てくれ」とは、〝これを見て呉《く》れ〟と見せびらかすところから生まれる。今では、**外観、体裁、見かけといった表面的な意味で使われる**が、せっかくの〝パフォーマンス〟も、肝心の中身がよくなければ、だれも〝見てくれ〟なくなる。

「泥仕合《どろじあい》」

泥をかけ合うのか？

歌舞伎には、スペクタクルな仕掛けが結構ある。宙吊りになった役者が客の頭上を飛び回ったり、舞台で水を大量に使い、本物の滝を出現させて見せたりする。舞台に**泥田を作り、その中に役者たちが入って、泥にまみれながら大立ち回りを演じた**こともあった。ここからきたのが「泥仕合」である。

この伝でいけば、雨のなかで繰り広げられるラグビーの試合も、選手が泥だらけになるから「泥仕合」と言えそうだ。しかし、ノーサイドの笛と同時に、相手方とも闘争心を水に流して、健闘をたたえ合う姿は、「泥仕合」と呼ぶにはあまりにも爽《さわ》やかすぎる。

「とぼける」 老人の得意技か？

老獪《ろうかい》という言葉があるように、人間年をとると、悪がしこいというよりずるくなる。都合の悪いことには、耳が遠いふり、目が悪いふりをして、聞こえない、見えないをよそおう。こういう態度を「とぼける」というが、この言葉、もともとは〝言惚《ことほ》る〟からきたと言われる。つまり、**言葉がぼけてしまって、何を言っているのかわからない**のが、「とぼける」の本来の意味だというのだ。そうとなれば、老人が例によって老獪ぶりを発揮して「とぼけ」ていると思っていたら、それは思いすごしで、案外、ほんとうに〝言葉ぼけ〟していたということもありうる。

「うやむや」 意味ははっきりしているの？

『ハムレット』の有名なセリフ“to be or not to be”は、〝生きるべきか、死すべきか〟などと昔からいろいろに訳されているが、その一つに〝あるか、ないか〟というのがある。漢字に直せば、さしずめ〝有耶無耶〟というところだろう。

この〝ありやなしや〟を音読みした「うやむや」が、いつの間にか〝**あいまい**〟**という意味**に使われるようになったわけだが、このあたりが〝あるか、ないか、それが問題だ〟と、あいまいさを許さない欧米人の発想とは違うところだ。ハムレットが日本人だったら、白黒をはっきりさせようとはせず、あの悲劇も生まれなかったかもしれない。

「ひとくさり」

ふた腐《くさ》りはあるか？

手前味噌で恐縮だが、日本語をめぐる拙著が出てから、言葉のウンチクをかたむける人が多くなったようだ。このあいだも、ある酒場で、〝小春びよりってのはね……〟と「ひとくさり」ぶって、得意になっている人がいた。

そこで、私も「ひとくさり」についてぶつことにしよう。「ひとくさり」とは、昔の語りもの、謡《うたい》ものなどが鎖《くさり》のようにつながっている、そのひとまとまりである。そこから、**物語をひとしきり話すという意味**になった。しかし、「ひとくさり」だからいいのであって、〝ふたくさり〟も〝みくさり〟も話すと、おもしろい話も腐るというものだ。

「つじつま」が合わない

どこを合わせること?

悪質な訪問販売に、大事な虎の子をまきあげられる例はあとをたたない。悪徳セールスマンの口車に乗らないようにするには、相手の話が、理屈に合わないところがないかどうか注意することだ。必ず「つじつま」が合っていないはずだ。

よく、相手の悪意を見抜くには、話を聞く前になりを見ろと言う人がいるが、かならずしも的はずれではない。というのは、「辻褄《つじつま》」とは着物からきた言葉で、**〝辻〟とは、縫《ぬ》い目が十字に合うところ、〝褄〟とは、着物の裾《すそ》の左右が合うところ**を指す。服の「つじつま」も合っていないようなら、話を聞くまでもないということだろう。

「カモにする」

アヒルではいけないのか?

鴨《かも》は鍋料理にするとおいしいものだが、これをつかまえるときに、昔の人はひと工夫したものだ。カモは昼間は眠っていて、日没と同時に餌《えさ》をとりに出かけ、明け方になると、昼間いたのと同じ場所に大群で帰ってくる習性がある。この習性を利用して、**明け方、戻ってく**

る場所に待ち構えていれば、労少なくして一網打尽《いちもうだじん》にできたというわけで、「カモにする」はここからきている。

だから、麻雀《マージャン》などで、弱い相手を「カモにする」というが、ほんとうは一人ではなく、他の三人からも、それもラクに、徹夜麻雀の終わる明け方にすることだ。

「くわせ者《もの》」　食べさせられるのは、どんなもの？

よく言われることだが、セールスで成功する人間は、雄弁にまくしたてるより、訥々《とつとつ》とした語り口のタイプのほうが多いらしい。高いだけですぐニセモノとわかるブランド商品をまんまと主婦たちに売りつけるのも、一見誠実そうな、こうしたタイプだ。

食べたくないものまで、むりやり食べさせるところからきたと思われる「くわせ者」だが、最近の主婦の中には彼らよりうわ手がいるそうだ。ブランド商品のニセモノを持つのが一種の流行で、彼女たちはそうと知っていて、値切るのを楽しむのだという。「くわせ者」を食いものにしているわけで、これを〝食うか食われるか〟のやりとりと言う。

「おあし」

なぜ足なのか？

なぞなぞ風に言えば、**こちらに歩いて来たかと思うと、すぐ、向こうへ行ってしまう**のが、「おあし」、つまりお金である。近ごろの「おあし」は、早足、駆け足で通り過ぎていく。

これが、〝アシ代〟と言うと、足で歩いていく、つまり、旅行にかかる費用になる。お役人たちは、仕事がら、よくパーティや旅行に招待されるそうだ。招待旅行には、〝アゴアシ付き〟というのがある。〝アゴ〟は、アゴを使って〝食事すること〟だから、タダで行ける招待旅行のことだ。さもしい根性のお役人はこういう招待を絶対に断わらないという。〝アシを出す〟など、とんでもない。

「能書《のうが》き」を並べる

何が書いてあるものなのか？

えらそうに理屈ばかりを並べる人に、実戦の役に立たないというタイプが多い。薬の中にも、あれにも効く、これも治るとラベルにずらりと書き並べてあるものがあるが、そんなものほど、えてして何の役にも立たないものだ。

理屈ばかりの人を、「能書き」が多いというが、この薬の効能書きが、じつは「能書き」の語源になっている。〝効能書き〟から〝効〟を取っただけの話なのだ。効能書きは効きめの説明だが、能書きになると、**自分の優れた点を述べて自己宣伝する意味**になる。いくら能書きを並べても、役に立たないのは当然だ。〝効〟を取り去っては効くわけがない。

「五十歩百歩《ごじっぽひゃっぽ》」

倍なのになぜ同じか？

〝五十歩と百歩〟では倍も違う。それなのに、なぜ「五十歩百歩」が大差がないという意味なのか、と疑問にする人がいた。しかし、そんな人も、この言葉が生まれた状況を知れば、なぜだか納得できるだろう。

孟子《もうし》の教えに、〝五十歩をもって百歩を笑う〟という言葉がある。意味するところは、危険地帯から**五十歩逃げた者が、百歩逃げた者を臆病者だと笑うのはバカげている。結局は両者とも逃げたことに変わりがない**、ということだ。

しかし、偏差値が十違うだけで、一流大学と二流大学に振り分けられる昨今では、六十歩が五十歩を笑うことも多い。

「しこたま」

たくさんある玉の一種か？

ＩＴ株ブームのうちに、稼ぐだけ稼いで、成金風を吹かせている輩《やから》がいる。〝奴ら、しこたま稼いでやがるな〟と、つい品の悪い言葉を口に出すことがある。

この「しこたま」の「しこ」は、物の分量を表わす語で、「たま」は、〝貯まる〟〝貯める〟からきている。だから、「しこたま」はそれほどためること、それから**〝たくさん〟〝おびただしく〟の意味**になった。

「しこたま稼ぐ」のはけっして悪いことではない。問題は稼ぐやり方だ。江戸時代にはたくさん貯めるという意味の〝しこためる〟という言葉もあった。

「とばっちり」

どんなふうに迷惑なこと？

ある人が、〝つば〟を飛ばしながらこんな話をしてくれた。雨の日、車に、水溜まりの水をはねられた男がいたという。その男は、傘を振り回して怒鳴っていたが、不運なことに、その傘が反対から歩いてきた女性の頭をしたたかに打ってしまったそうだ。その女性には、とんだ「とばっちり」だ。

この「とばっちり」の語源は〝**とばしり**〟。**水などが飛び散る〝しぶき〟のこと**だ。そこから巻き添えの意味が生まれた。車に水をはねられた男は、〝とばしり〟を浴びたわけだが、女性は「とばっちり」を受けたことになる。私も、夢中で話す人のつばを浴びて、とんだ「とばっちり」だ。

「がんじがらめ」

逃げようはないのか？

だいぶ前、〝サラリーマンは気楽な稼業《かぎょう》……〟と唄《うた》われた。しかし最近は、サラリーマン受難の時代などと言われ、昇進試験やら出向などに縛られて、けっして気楽ではないそうだ。いわば、組織に「がんじがらめ」に縛られているのだ。

〝がんじ〟は〝雁字〟と書く。雁《がん》が**一文字の形に列をつくって飛ぶのを文字に見たてた**わけだ。雁字だけならまだ動けるが、そのうえ縛ってしまうのが〝からめ〟である。サラリーマンは、夕方になってはじめて組織という雁字から解放されて自由になる。せめて酒が入って〝千鳥足〟になるぐらい許してやりたいものだ。

「お茶《ちゃ》の子《こ》さいさい」

お茶に親子があったのか？

サラリーマンの時間管理は、ますます細かくなったといわれる。朝食前の時間までどう使うか考えているというが、たしかにちょっとした仕事を朝食前に片づけてしまえば、〝これくらいは朝メシ前さ〟と、気分がよくなるかもしれない。

昔の人は、**食事の前などに、よくお茶を飲む習慣があった。このとき出すお菓子のことを「お茶の子」といい、食事前に簡単に食べられる**というので、〝朝メシ前〟と同じような意味になった。「さいさい」は、俗謡のはやし言葉だ。ただし、簡単だからと食べすぎると、当然のことながら、食事が入らないハメになる。

カネに「糸目《いとめ》」はつけない

カネにも糸がついているの？

かつての地価や株価の乱高下《らんこうげ》は、どこかでこれをあやつっている人がいるのではないかと思われたものだ。その人たちを言語学的に追及してみると、それは〝カネに「糸目」をつけない〟で土地や株を売買する人たちではあるまいか。

と言うのは、この「糸目」というのは、もともと**凧《たこ》の上がり具合を調整するための糸の張り方**を言い、「糸目」がちゃんとしていないと、凧は強風であおられて〝あばれ凧〟になり、急に上がったかと思うと、突然急落するからだ。カネにも、その動きをコントロールする「糸目」がついていなかったら、経済の強風下で乱高下を招くことは必至なのだ。

「根《ね》回《まわ》し」

根っこがかんたんに回せるの？

近年、世界に広まった日本語に nemawashi（根回し）という言葉がある。会議をする前に関係者を〝回って〟了解をとりつけておくことで、日本的経営学の柱として、真似をする外国の会社もある。

「根回し」はもともと、**大きな木を移植するとき、前もって、広がった根を切り落とし、根全体をわらでくるむ**ことだ。こうしておけば、移植後うまく根がつく。いかにも農業国らしい発想で、made in Japan として輸出するのにふさわしい言葉だ。竹下元首相は「根回し」の名人だったという。アメリカのメタセコイヤなど根が巨大だから、切るところをうまく切らないと、植えてから倒れてしまいかねない。

「花形《はながた》」

ごつい男でも花形選手?

角砂糖や石鹸《せっけん》は、ふつう形は四角と決まっているが、花を象《かたど》ったものが生まれて、文字どおり花形商品としてもてはやされた時期があった。この「花形」、もとは〝花形役者〟の略で人気者を指し、やがて**時流に乗る華やかな存在を指す**ようになった。ただ悲しいかな、花同様、いつまでも咲き続けないのが特徴のようだ。

花形の角砂糖や石鹸があきられてしまったように、花形歌手や、役者やスポーツ選手などもすぐ〝ただの人〟になってしまい、その散りぎわにかろうじて衆目を集めるというのが常のようだ。散ってこそ「花形」と言えるのではないか。

「めりはり」をつける

何かが破れる音のこと?

人間はふつう緊張が高まりすぎると、適切な判断ができない。逆に、気持ちが緩《ゆる》んでも仕事の能率が落ちる。適度な緊張とリラックスが必要だという。心理学でいう〝テンション・リダクション〟である。

これを日本語で言えば、さしずめ「めりはり」だろう。この言葉、もとは邦楽の音の高低と抑揚、歌舞伎の演技の強弱と伸縮をいった言葉で、漢字では〝減張〟とか〝乙張〟と書く。これが転じて、**〝物事をてきぱきと判断し、処理する〟という意味**で使われるようになった。一日じゅう机の前に同じ緊張状態でいる人は、「めりはり」のない仕事で能率も上がらないだろう。

「へそくり」
おへそで金が稼げるの？

土佐藩主山内一豊《やまのうちかずとよ》の妻といえば、〝内助の功〟の見本としてよく登場する。夫の上司織田信長が閲馬するさい、こっそり貯めていた「へそくり」十両をさし出して名馬を買った話はよく知られている。これが、夫一豊の出世のきっかけをつくったといわれ、以来、夫のいざというときに備えて、「へそくり」をするのが女房の甲斐性《かいしょう》とされた。

「へそくり」をするにも、いろいろな方法がある。昔の人は、**〝綜麻《へそ》〟と言って、つむいだ糸をつないで環状に巻いたものを作るのを内職仕事**にした。そうして貯めたお金が「へそくりがね」だ。一豊の妻は、どれだけの〝綜麻〟をつくったのだろう。

借金を「棒引《ぼうび》き」にする

借金を消してくれる魔法の棒？

食い物の恨みも恐ろしいが、金の恨みはもっとこわい。金の貸し借りが元で殺人事件まで起きる。だが、借金の帳消しを頼むにしても、なにもピストルを持ち出すことはない。棒の一本も持って相手方へ談判に行けば、案外簡単に借金の「棒引き」に成功する……!?

残念ながら、「棒引き」の〝棒〟は、そういった棍棒のことではない。貸し借りの**帳簿の記載に棒線を引いて消すことからきた言葉**なのである。それを木の棒一本で、借金をなかったことにしてくれというのでは、貸したほうだって、〝そんなベラボウな話があるか〟と怒るだろう。

「やむをえず」

やむとは何？

世の中には言いわけ上手といわれる人がいるもので、そうした人の得意なセリフのなかに、「やむをえず」というのがある。〝仕方がない〟〝どうしようもない〟理由があったということだから、聞くほうもなんとなく納得してしまう。

しかし、もとをただせばこの言葉、〝ヤメラレナイ、トマラナイ、ナントカセンベイ〟のたぐいの理由をいっているともとれる。もともと**〝やむ〟は〝止む〟だから、「やむをえず」も〝とどまることができない〟〝止められない〟の意味**でもある。ただし、朝寝がやめられず、遅刻したことまで、「やむをえず」というのは虫がよすぎる。

「腰《こし》が低《ひく》い」

腰が高いと頭も高いのか？

欧米を旅行すると、買い物をしても、〝いらっしゃいませ〟も〝ありがとうございました〟も言わない店員の応対ぶりに驚かされる。最近は日本でも、そんな店が増えたが、昔の商店では考えられないことだ。格式の高い店ほど店員の腰が低く、挨拶《あいさつ》やおじぎを徹底的に教え込まれた。

「腰が低い」とは、**謙虚にへりくだること**を言うが、膝をやや曲げて、腰をかがめるなど姿勢を客より低くすることからきたのだろう。この姿勢はなかなかたいへんで、腰がすわっていないとできない。まずこれを覚えないと、本腰を入れた商売はできないということを、教えていたのかもしれない。

浮世の「しがらみ」

何がからむのか？

〝足手まとい〟〝足を取られる〟〝足を踏み入れる〟など、足には何らかの「しがらみ」にとらわれることを表わした語が多い。ところが、この「しがらみ」自体が、どうやら足に関係がありそうだ。

ほとんどの辞書には、「しがらみ」は「柵」と書き、**水流をせきとめるために杭を打ち並べ、それに木の枝や竹などを横たえたもの**、とあるが、別に〝足がらみ〟の略だという説もある。

いずれにしても、〝浮世のしがらみ〟といえば、好き勝手な行動にブレーキをかける義理、約束事などを指す。悪友などの「しがらみ」から抜け出せれば、まさに〝足が洗えた〟ということになる。

「満《まん》を持《じ》する」

何を持つのか？

弓道の達人に言わせると、弓をいっぱいに引きしぼって構えたあと、矢を放つ一瞬のタイミングによって、上手か下手か決まるという。早すぎても遅すぎてもダメで、そのタイミングをはかる瞬間は、まさに無我の境地に達するのだそうだ。

弓の醍醐味《だいごみ》がそこにあるというわけだが、弓をいっぱいに、ぎりぎりまで引きしぼった頂点が〝満〟、ここでじっとその状態を維持しなくてはならない。そこから**〝準備を十分にして時機のくるのを待つ〟たとえ**として、「満を持する」というようになった。〝せいてはことを仕損じる〟の諺《ことわざ》もあるように、あせっては何事も失敗する。

「毛並《けな》み」がいい　頭の毛のことか？

ペットブームだそうだが、血統書つきの犬や猫も毛が汚なかったら値打ちがないから、毎日ブラシをかけて手入れしなければならない。動物は、病気をしたり、手入れが悪いと、毛が抜けたり、毛のつやがなくなる。「毛並み」がいいのは、まさに優れている証拠である。

このことから、**人間でも家柄や血筋のいいこと**を、「毛並み」がいいと言うようになった。動物の場合は、たとえ駄犬でもブラシをかけて手入れすると、多少はさまになってくる。しかし、人間はいくら外見を整えて「毛並み」をよく見せかけようとしても、言葉遣《づか》いなどで〝お里が知れる〟ことが多い。

「小手調《こてしら》べ」

少しだけ調べること？

近年の大学受験生は、六、七校も願書を出す。なかには十校の受験も辞さない猛者《もさ》もいると聞く。なんでも、本命は一、二校で、滑り止めに数校、そのうえ「小手調べ」に数校受験するのが、六校から七校の内訳らしい。

「小手調べ」は、**本芸の前にちょっと練習をすること**だ。小手は手先の意ではなく、〝小股の切れ上がった〟の〝小〟と同様、〝ちょっと〟の意味である。

子どもにとっては、ほんの「小手調べ」の受験でも、私立大学の受験料は最近、一学部につき二万円から三万円もする。受験料の総額を考えると、親にとっては、〝ちょっと〟などと言ってられない。

「甲羅《こうら》を重《かさ》ねる」

亀が何匹いるのか？

亀の甲羅からつくるべっ甲の眼鏡やアクセサリーは値段の張る製品だが、これが似合うのは、それ相応に年をとった人でないと無理だと言われる。

それも道理で、**「甲羅」という言葉は、年の功の〝功〟**に掛けて考えられた。長い人生を生き、経験を積んで〝甲羅を重ねて〟こそ〝年の功〟があるわけで、そうなってはじめて美しさを秘めたべっ甲を使うのにふさわしい。べっ甲は珍重品だが、人生の甲羅はもっと貴重だ。「甲羅を重ねる」の意味を、ある学生は〝親亀の背中に子亀と孫亀が重なって乗り、甲羅干ししている様子〟と言った。それを聞いて、コケそうになった私は思わず首を引っ込めた。

「修羅場《しゅらば》」をくぐる

どんな場所なのか？

世に知られた経営者には、ひどい逆境や食うか食われるかの局面をくぐり抜けてきた人が多い。やり手の経営者ほど、それぞれの局面で、相当あこぎなことをやってきたと世人に思われがちだが、果たしてそうだろうか？

そういう局面を「修羅場」という。「修羅場」は元来、**帝釈天《たいしゃくてん》が阿《あ》修羅《しゅら》と戦った場所のこと**だった。そこでは、常に鬼神阿修羅は、仏教の守護神たる帝釈天に敗れ、悪行は懲《こ》らしめられる。いくら「修羅場」でも、悪行の限りをつくしたのでは、けっして勝ち残れない。優れた経営者は、案外そういう「修羅場」をくぐり抜ける方法を心得ている。

「しゃっちょこばる」

何かをはるの?

〝鯱《しゃち》〟がクジラを襲うときは、がんじょうな歯で、クジラの舌を引き出して嚙み切って殺すという。文字どおり、虎にもまさる勇猛ぶりだ。

この鯱から想像した魚が〝しゃちほこ〟で、名古屋城の有名な飾り瓦である。城閣の屋根につけると、防火の効があるとされた。体を反《そ》らして身を硬直させているその形から、**緊張してこちこちになっている姿**を〝しゃちほこばる〟と言うようになり、それを東京風に発音して「しゃっちょこばる」と言う。

慣れないことに気張りすぎると、〝屋根に上がった鯱〟のようにコチコチになり、〝しゃっちょこ立ち〟して、何もできなくなる。

新規「蒔《ま》き直《なお》し」

何の種を蒔くのか?

何年間努力しても、芽の出ない人がいる。そんな人は同じ方法でやっても無駄だから、方向転換して、もう一度最初からやり直すことだ。こんなとき、〝心機一転蒔き直しをはかる〟

などというが、「蒔き直し」とは、〝蒔〟の字のとおり、花や野菜の種を蒔くことである。**種を泥土に蒔いたけれど、いくら待っても芽が出ない。改めてもう一度、蒔いてみよう**というわけだ。

この泥臭い語源説に対して、巻物を広げたあとで、元に戻すために〝巻き直す〟ことだという、座敷で考えたような語源説もある。

どちらが正しいか、おそらく、泥臭いほうだろう。

「あぶらが乗《の》る」
油それとも脂？

いまの若い人たちは、転社や転職をまったく苦にしない。それが時代の風潮なのだ。しかし、ともすれば仕事をかえたがるとは、どういうことなのだろう。仕事というのは、何十年ものあいだ一途《いちず》に励んでこそ、ようやく〝あぶらが乗って〟くるものだ。

「あぶらが乗る」というのは、魚などが食べごろになることを言う。そこから、**絶頂期とか、調子が出たころのことを言う**ようになったのだろう。

ただ、仕事に「あぶらが乗ってくる」年齢になると、腹のまわりに〝脂《あぶら》がのる〟人が多くなる。こちらの脂は、仕事とは関係ない。

「腹心《ふくしん》」の部下

〝腹〟と〝心〟は信頼できるか？

昨今、有名企業の創業社長が「腹心」の部下に寝首をかかれて、社長の椅子を追われるケースが結構多い。

「腹心」とは、**トップシークレットを腹を割って打ち明けたり、心を開いて頼れる部下**のことであるが、当節は、そうやすやすと腹のなかを見せるようでは、トップの座は危うくなる。名社長たらんとすれば、「腹心」の〝腹〟は〝腹黒く〟、〝心〟は〝心外な裏切り〟だと心得よ、ということだろうか。

「てこ入れ」

入れるものは何？

営業成績の芳《かんば》しくない支店に、本店から敏腕営業員を派遣して再建を図るという話はよく聞く。たった一人の力でどうかなるものでもあるまいと思う。しかし、思いのほか支店の成績が上がることがあり、そうなれば、これは「てこ入れ」が成功したということになる。

「てこ入れ」の「てこ」は、理科で習う〝梃子《てこ》〟のこと。梃子があれば、**小さな力で大きな**

ものを動かすことができるというわけだ。

取引市場では相場を人為的に操作することを「てこ入れ」と呼ぶ。だが、現在のように市場が大きくなると、てこでも動かないようだ。

「正念場《しょうねんば》」 念仏を唱える場所？

人形浄瑠璃および歌舞伎の演目のなかに、『菅原伝授手習鑑《すがわらでんじゅてならいかがみ》』というのがある。『仮名手本忠臣蔵』『義経千本桜《よしつねせんぼんざくら》』とともに時代狂言の三大名作とされているが、なかでも四段目「寺子屋」は、古典劇の世界的な名作と言われている。ここには、そう言われるだけの見せ場がある。

このように、**歌舞伎・浄瑠璃などでの一曲一場の最高の見せ場**を「正念場」と言う。これから、一般的に、**もっとも肝心なところ、だいじな場面**のことを言うようになった。

スポーツの実況中継で、アナウンサーがやたらと「正念場」を連発するが、「正念場」は、そうたびたびあるものではないのである。

役者は立って演じるが？

「立役者《たてやくしゃ》」

総裁選などを陰であやつり、いわゆる〝キングメーカー〟として実力を誇示する人物がいる。マスコミは、こういう人物を持ちあげて総裁選の「立役者」などと言っているが、いくら総裁が〝異議なし〟で選ばれても、言語的には〝異議あり〟である。

というのも、この「立役者」とは、**芝居で一座の中心となる重要な役者というだけでなく、善玉役の主役**のことだからである。要するに、正直で腹がきれいな人でなければ「立役者」といわれる資格はないのだ。

陰の実力者すべてが腹黒いとは言わないが、庶民が理想とする清潔な人には、政界を牛耳《ぎゅうじ》る力はないのかもしれない。

何を並べるのか？

「御託《ごたく》を並《なら》べる」

松下電器を一代で世界有数の電機メーカーに育てた、故・松下幸之助氏は、〝経営の神様〟などと言われ、神様の域に達していたらしい。

神様だけに、社内では松下氏の言うことは絶対で、これを〝御託宣〟と言い、みんなありがたがった。

ところが、神様の域に達しないワンマン社長が、神様を気どって、〝自分勝手なことを、偉そうに〟社員に言いつけることがある。同じことを言っても、**神様から信託もされないのに、偉そうなことを言う**のが「御託」だ。神様を気取って「御託」を並べていると、そのうち、神様どころか、社長の椅子からも追放されかねない。

「お先棒《さきぼう》を担《かつ》ぐ」

棒にあと先があるのか？

かつて〝闇将軍〟とうたわれた元首相（田中角栄）は、〝カゴに乗る人、担ぐ人、そのまたわらじを作る人〟という名文句を吐いて、キングメーカーの名をほしいままにした。いちばん偉いのは、カゴに乗っている人でもなく、担いでいる人でもなく、誰にも知られないでわらじを作っているこのオレだと言いたかったらしい。

ましてや、**カゴの「先棒」を担いで、〝他人の手先となって動き回る〟**などは愚の骨頂だというわけだ。ほんとうは、「お先棒を担いで」人の先頭に立つと、ロクなことはないという戒《いまし》めの言葉でもあるのだ。

PART-⑩

話に花が咲く日本語

「鎬《しのぎ》を削《けず》る」「丹精《たんせい》を込《こ》める」

「ぴかいち」

何がピカッと光っている？

ひと昔前のヤクザ映画の人気を引き合いに出すまでもなく、日本人はアウトローの世界が好きらしく、日常会話の中にも、いわゆるヤクザ言葉がたくさん生きている。「ぴかいち」もそのひとつで、花札バクチの際、手札のなかに一枚だけある〝光物《ひかりもの》〟と呼ばれる点数の高い札のことをいった。ここから、**多数の同類のなかでもっとも優れているもの**を言うようになった。

〝一〟のことを〝ピン〟と言うが、これも同じくヤクザ言葉がルーツだ。どうも、昨今取り沙汰されるヤクザの人権よりひと足先に、言葉のほうが市民権を得ているようだ。

「元老《げんろう》」

元からの老人ってどんな人？

最近は、各界で、とっくに引退したと思っていた人がよけいな口を出したり、実力をひけらかしたりする傾向があると聞く。若い人たちは、〝元老人《もとろうじん》〟がと、しぶい顔をしているようだが、ほんとうの「元老《げんろう》」は、年齢もさることながら、人格、識見に優れていなければとても務まらない。
そうした**見識を持った政治家が、天皇を補佐して、重要な政務を決定**して「元老」と呼ばれた。とくに重要な仕事は、次の総理大臣を指名することだった。前首相が、次の首相を決めて、「元老」気取りになっていると言われるが、ただの〝元老人〟は、どこの世界でも嫌われる。

「お歴歴《れきれき》」　何人いることか？

ある会社の総務部長が、社長から〝創立三十周年の記念行事をやるから、政・財界の「お歴歴」を招待するように〟と言われた。ところが、当日になって、〝政・財界のお歴歴〟が一人しか来ていない。それを知った社長は、カンカンに怒ったという。

しかし、言葉からいうと、総務部長は命令に対して正しい行動をとったのである。「お歴歴」は本来、**格式の高い家や人のこと**を言う。一人でもいいわけだ。〝歴〟が重なるので複数と誤って使われるようになったのだ。

だから、〝一般人に毛の生えたような人〟をいくら集めても、それは「お歴歴」ではない。

「草分《くさわ》け」

草を分けるとどうなるのか？

東京は開発が進み、今でこそ草深い土地など探してもないが、ほんの七、八十年前は、六本木や原宿といった街も、ススキの原っぱだった。

こうした街に目をつけて、土地を拓《ひら》き、店を構えた人はずいぶん先見の明があったものだ。こんな人こそ「草分け」の名にふさわしい。というのも、「草分け」とは、もともとは**草深い土地に分け入り、開拓して一村一町の基礎を築く**ことを言ったからだ。さらに転じて、今では、一般に物事を創始する意味に使われる。

とすると、別荘地と称して、住めもしない土地を売る悪徳商法を考え出した不動産屋こそ、その名にふさわしいと言えるだろうか。

「おしゃか」にする

キリストにはしない？

仏教の世界では、人間は死ぬと〝仏《ほとけ》〟になるが、では物は〝死ぬ〟と何になるのだろうか。「おしゃか」になるのだそうだ。

製品を**作り損《そこ》ない、不良品にしてしまうこと**を「おしゃか」にすると言うが、これは、一説によれば、金物細工の溶接をするとき、火が強すぎて失敗したことからきたという。江戸下町ではヒをシと発音するので、〝火が強かった〟が〝シガツヨカッタ＝四月八日だ〟に聞こえたが、この四月八日はお釈迦《しゃか》様の誕生日である。

物も死ぬと「おしゃか」になるとなれば、やはりすんなりと〝成仏《じょうぶつ》〟してもらうために〝○○供養〟が必要となる。

「べらぼう」な要求

どのくらいひどいの？

江戸時代、便乱坊《べらぼう》という男の見世物が大評判になったことがある。この便乱坊、全身真っ黒で、頭はとがり、眼は赤くて丸く、あごは猿のよう、と言うように、たいへん醜い男だが、愚鈍な仕草が売り物で、見物人は大笑いしたという。以来、**バカバカしいことや、まともに相手ができないほどあまりにひどい**ことを、「べらぼう」と言うようになったという。

また、江戸っ子は人をののしるとき、〝べらぼうめ〟と相手をバカにした。

ちなみに、江戸っ子の威勢のいい〝べらんめえ調〟は、この〝べらぼうめ〟からきている。

「鎬《しのぎ》を削《けず》る」

どこが削れる？

最近のプロ野球がつまらなくなった理由として、ピッチャーがバッターに、全力投球の真剣勝負をしなくなったことをあげる人は多い。草創期は、それこそ真剣を打ち合わせ、火花の散るような勝負をしたものだ。

ほんとうの**真剣を使った勝負で、刀の刃と峰の境界の〝鎬〟を削り合うくらいの激しい闘い**や、競《せ》り合いを「鎬を削る」と言う。武士の真剣勝負は命を懸けて〝鎬を削った〟のである。もし、ピッチャーがバッターに、鎬ならぬ胸元を削るような内角球を投げるならば、勝負しない、全力投球しないの〝竹刀《しない》勝負〟でない、〝真剣勝負〟が味わえるに違いない。

「剣幕《けんまく》」

険悪な仲に下りる幕のこと？

車は人間を粗暴にするものらしい。今までザーマス言葉でやっていた御婦人も、車体をこすった、こすらないの言い合いになると、とたんに〝険悪〟になる。あげくに、〝コンチクショー〟〝何ホザク〟なんて言葉まで浴びせて、たいへんな「剣幕」でまくしたてる。

〝険悪〟はもともと〝ケンアク（ken-aku）〟だったのが、観音《かんのん》（kan-on）がリエゾン（連声）によってカンノン（kannon）になったように、**ケンナク（kennaku）となり、さらにケンマク（kenmaku）に変化**した。それに「剣幕」という字を当てたのだ。先の御婦人、剣を持たせてチャンチャンバラバラをさせても似合いそうな形相《ぎょうそう》になる。

「さじを投《な》げる」

料理がまずかった？

近所の料理屋のオヤジが嘆いていた。近ごろの若い板前は料理学校さえ出れば一人前のつもりだから、始末におえない。何を注意しても〝学校ではこう習いませんでした〟の一点張り。これにはさすがの頑固オヤジも〝さじを投げた〟そうだ。

〝さじを投げた〟と言っても、スプーンを投げたわけではない。この〝さじ〟は、もともと薬を調剤するさじのこと。そもそも「さじを投げる」のは、**手の施《ほどこ》しようがない病人を見放した医者**だったのだ。

料理屋のオヤジにしてみれば、若い板前の減らず口を治すクスリが見つからなかった、ということになろうか。

「金輪際《こんりんざい》」

金色の輪？

昔の人は、天地をさまざまに想像し、そこから神話が生まれた。一羽のカモの卵から天と地ができたという神話もあり、天と地は地平線のところで接していると考えていたところもある。

仏教の世界観によると、大地は金輪、水輪、風輪の三輪によって支えられている。金輪は最下底で水輪と接しているが、そこを「金輪際」と言った。ここから、**〝物事の極限〟〝どこまでも〟〝ぜったいに〟、という意味合い**で用いられている。

現代人で、神話を信じる人は少ないだろうが、どんなに科学が発達しても、ロマンを求める心だけは「金輪際」なくしたくないものだ。

「楽屋落《がくや》ち」

落ちるとどうなる？

どんな仕事でもネタが尽き、行きづまってくると、自分のことしか目に入らなくなってくる。心理学でいう視野狭窄《しやきょうさく》という状態に陥り、他人の目で自分を客観的に見ることができなくなるのだ。

芸人の世界ではこういうとき、「楽屋落ち」のネタばかり出ることになる。つまり、楽屋の仲間など一部の人にしかわからない話をとくとくとする。ここから、芸人の世界だけでなく、**関係者以外の一般の人にはわからないこと**を「楽屋落ち」と言うようになった。こんなネタばかり使っていると、ほんとうに舞台から楽屋に落ち、付き人修業をさせられることになる。

後に生まれたから？ 「後生《ごしょう》」だから

仏の慈悲心を信じて、あの世で極楽に行けるよう祈り、願うのは、今も昔も変わらない。仏教では、**〝あの世〟のことを「後生」と言い、そこから、仏の加護を求め、幸運を祈ることを**〝後生を願う〟と言うようになった。

つまり、人に折り入ってものを頼むときの「後生」には、そういう仏に幸運を願うニュアンスが含まれている。とは言っても、〝仏の顔も三度まで〟とも言う。人を仏に見たててアテにするのも、ほどほどにしないと、最後には相手にされなくなる。〝後生より今生《こんじょう》（現在）〟という諺《ことわざ》もあるように、独力でやり抜く根性もたいせつだ。

「お題目《だいもく》」を唱える　何のタイトル？

日蓮宗の開祖、日蓮はその教えをこう説いた。

〝南無妙法蓮華経とは、真理にひたすら帰依《きえ》することであり、それをひたすら口で唱えることによって、たやすく真理に合一し、成仏できる。それは、そこに含まれる久遠《くおん》の果実を自然にゆずり受けることができるからである〟

つまり、**〝南無妙法蓮華経〟と唱えることで成仏できる**としたのだが、この〝南無妙法蓮華経〟の七文字を「お題目」と言う。ただ、この日蓮の教えの表面だけ真似て、信心もないのに、口先だけで「お題目」を唱えていると、救われるどころか、人々の信用を失うのがオチだ。

「大八車《だいはちぐるま》」　大八とは何のことか？

機械は、人の代わりを効率よく果たさせる目的から作られた。目の代わりが望遠鏡、足の代わりが自動車で、荷物を運ぶ足軽の代わりが荷車、それがやがてトラックになった。

ところで、自動車のエンジンの力を示すのに、馬力《ばりき》という単位が用いられる。これは馬の何倍の力を発揮できるかという意味だが、実は「大八車」もそうした発想から生まれた言葉だ。**荷車が人間に代わって八倍の仕事をする**ところから「代八車」と呼ばれたのが最初で、のちに「代」の字を「大」にかえた。

この伝でいくと、トラックなどは、さしずめ〝代百車〟に相当するだろうか。

「無骨《ぶこつ》」な男

骨はないのか、あるのか？

〝骨のある男〟といえば、一本筋が通った気骨のある男を指す。それと反対に、〝骨のない男〟というと、弱々しい感じの男を指す。これと似た言葉で「無骨な男」となると、まったく意味が違ってくる。「無骨」には**無作法、骨張った性格、不風流といった、男っぽいイメージ**がある。

〝骨が無い〟と書くのに、どうしてそんなことになるのかといえば、「無骨」は、無作法である、礼儀を知らないという意味の和語である〝こちなし〟に漢字を当てて、それを音読みして生まれた言葉だからである。だから、〝骨のある無骨な男〟という一見矛盾した言葉も、言葉全体としては矛盾しない。事実、そういう男は世間に多い。

「一蓮托生《いちれんたくしょう》」
いいことか悪いことか？

〝袖すり合うも多少の縁〟と書いた大学生がいたそうだが、ここはもちろん〝他生〟が正解。前世のことである。袖すり合うくらいの見知らぬ人でさえ、これだけの縁があるのだから、**死後、極楽浄土で同じ蓮華の上に生まれてくる**という「一蓮托生」は、なまなかな縁ではない。しかも、極楽で再会すると言うのだから、善人同士の縁である。

ところが最近、〝一蓮托生でつかまった〟と言ったように、犯罪者の検挙などのときに使われることが多い。地獄には蓮の花はないことになっているのだから、これはおかしい。それとも「一蓮」を〝一連〟と間違えているのだろうか。

「上方《かみがた》」
上のほうにあるのか？

現在では、〝お上《かみ》〟と言えば、政府などの行政機関を指すが、**江戸時代までは、皇居のあるところ**を言った。

つまり、京都もしくは奈良が〝お上〟だったわけである。「上方」とは、文字どおりこの

〝お上〟のある都《みやこ》やその方面という意だ。だから、昔、大阪は「上方」ではなかったのである。だから、昔、大阪が難波《なにわ》だったころは、大阪は「上方」ではなかったのである。

今では、「上方」は京阪神地方を指して言うが、昔の意味からすれば、東京が「上方」と言うことになる。しかし、この程度のオチでは、〝上方漫才〟では通用しない。

「大黒柱《だいこくばしら》」どのくらい頼れるのか？

戦後、〝団地族〟という言葉が発生するとともに、父親の権威は地盤沈下を始め、〝マンション族〟の増大で、すっかり地に堕《お》ちてしまったようだ。一戸建ての家も持てない父親は、家族の前で大きな顔をできないというわけではないが、父親の権威の失墜は、住宅問題とおおいに関係がある。

昔、家を建てるとき、最初に立てる太い柱を「大黒柱」と言った。この**柱によって家の位置が定まるから、本来は「大極柱」と書き、〝大黒〟は当て字**らしい。この家を支える太い「大黒柱」は、一家の中心である主人の別名だったが、マンションの新建材で建てられた部屋からはこの柱が消えた。父親の権威も失われた。

準備「万端《ばんたん》」

端っこがたくさんあること?

世の中には、心配性の人がいて、何かことがあると一から十までどころか、百や千までちゃんと用意しておかないと気がすまない。しかし〝準備「万端」整える〟という言葉からすると、単に準備の数さえ多ければいいというものでもなさそうだ。

「万端」の「万」はもちろん数の多いことを言うが、「端」は**単なる〝端っこ〟ではなく、〝時局多端〟とも言うように〝きちんとやらなければならないこと〟**を指す。だから、あれもこれもと準備しても、準備「万端」にはならないのだ。数は少なくても、きちんとさえしていれば、それで準備「万端」、オーケーとなる。

「以心伝心《いしんでんしん》」

どんな心のこと?

若い親のしつけが、よくやりだまに挙げられる。つまるところ、子どもに干渉しすぎるようだ。子を思う心はわかるが、干渉がすぎては、その親心は伝わらず、かえって反発を招くだけだ。

禅に「以心伝心」という言葉がある。口で表わすことのできない**真理や悟りが、無言のうちに心に伝わるという理想のコミュニケーション**だ。

親子たるもの、何事においても「以心伝心」といきたいものだが、実際はなかなかそうもいかない。昨今、親の気持ちを伝えるには、〝以言伝心〟より、手紙や日記などに心を託す〝以字伝心〟のほうが、より「以心伝心」に近づけるかもしれない。

「せりふ」一人でも「せりふ」と言うのか？

映画や芝居で、大スターが二人共演するときは、周囲の人たちはずいぶん気を遣《つか》う。とりわけ気を遣うのが二人の「せりふ」の量だ。どちらか一人に偏《かたよ》って多いと、少ないほうのスターが気分を損ね、気持ちよく共演できなくなってしまうからである。

俳優というのは、どうやら競《きそ》い合ってでも「せりふ」をたくさんしゃべりたいらしいが、このことが、じつは「せりふ」という言葉の由来のようだ。俳優が**競《せ》り合って言《い》う、つまり〝競り言う〟が語源**で、これが「せりふ」になった。競り言うには、二人以上の俳優が要ることから考えれば、一人芝居の場合は「せりふ」ではなく、〝独白〟だ。

「病膏肓《やまいこうこう》」に入《い》る　どんなところにはいる？

中国にこんな故事がある。春秋時代に晋《しん》の王が重い病気になり、名医を呼んだ。ところが、夢の中で病気が二人の子どもの姿になり、名医が来るから隠れようと、一人は胸の下の〝膏〟という場所の下、一人が胸と腹のあいだの〝肓〟という薄い膜の上にもぐり込んでしまった。医者が来て診察すると、夢のとおり病根が肓の上と膏の下に入ってしまって治療できないと言われた。ここから、**あることに夢中になって手がつけられなくなること**を、「病膏肓に入る」と言うようになった。

まさに、どんなことでも〝病みつき〟になると、めったなことではやめられないということか。

「自家薬籠中《じかやくろうちゅう》」のもの　薬の製造販売か？

泉鏡花の名作に『高野聖《こうやひじり》』がある。勧進《かんじん》のために高野山から諸国に出向いた下級僧を描いた小説だが、この僧たちは、背中につづらのような箱を背負い、そこに薬や衣類を入れていた。

これが「薬籠《やくろう》」だ。それから、薬籠のなかの物のように、**いつでも必要なときに役に立ち、自在に使える人や物**を、「自家薬籠中」のものと言うようになった。

薬漬《づ》け医療の是非が問われている現在では、一般人の中にも、薬について玄人《くろうと》はだしの知識を持っている人がいる。しかし、いかに知識が深くても、「自家薬籠中」の薬ばかりでは心もとない。

どんなものを込めるのか？

「丹精《たんせい》を込《こ》める」

近ごろの若い人は、誕生日などのお祝いに、母親が「丹精」を込めてお赤飯を炊《た》いても喜ばず、市販のフライドチキンのほうを好むという。「丹精」ということなど、わからなくなってきているのだろう。

「丹精」の**〝丹〟は、〝丹頂鶴〟〝丹朱〟の〝丹〟と同じで、赤いこと**である。日本語の〝赤〟には、もともと〝明るい〟という意味があり、後に赤色の意味が出てきた。〝赤心〟〝赤誠〟も、けっして赤いことではない。その点、〝丹〟は、たんに赤い色を指すだけだから、〝誠実な心〟は本来〝赤精〟のはずだが、なぜか「丹精」という。フライドチキンもいいけれど、祝う心を込めたお赤飯の意味くらいはわかってほしい。

「二足《にそく》のわらじ」をはく

二足はくと、どうなるのか？

『サラダ記念日』の俵万智《たわらまち》さんは以前、昼間は高校教師をしながら作家活動を続けていた。また石原慎太郎東京都知事は、今も精力的な執筆活動を続けている。こうした人たちのことを、英語では〝ムーンライター〟と呼んでいる。

日本語では「二足のわらじ」となるが、この言葉、本来はあまりいい意味では使われない。バクチ打ちが警官を兼ねるといった、**両立し得ない二つの仕事をする人間**のことを言った。教師と作家なら、両立してもおかしくないが、同じ作家でも、ポルノ小説ということになると、「二足のわらじ」がぴったりする。

「肝《きも》いり」

名前を貸すだけではダメ？

よく〝○○先生、ご推薦の……〟とか、〝有名人の××さんが愛用している……〟などと口上が書かれた案内状やポスターなどを見かける。このように、偉い人が〝これはいい〟などと、進んで勧めたりすることを「肝いり」と言う。

「肝いり」の〝いり〟は〝入り〟ではなく、〝煎り〟だ。〝煎る〟とは、**水気がなくなるまで煮つめたり、あぶりこがす**こと。だから、「肝いり」は、心を煎ること、つまり、〝心遣いをする〟ことになった。だから、偉い人が単に名前を貸すだけでは、本来の意味にはならない。それではただの〝名前いり〟〝ネームいり〟だ。

「道楽《どうらく》」
道路で遊ぶこと？

初代が寝食を忘れて築いた〝身上《しんしょう》〟を、ぼんぼん育ちの二代目、三代目が、本業そっちのけで趣味や遊びにふけって、つぶしてしまうことがある。とくに三代目は、要注意だといわれている。

このような、本職以外の趣味や遊びのことを「道楽」というが、それも、あんまり芳《かんば》しからざる楽しみのことを指す場合が多い。ところが、本来の意味は、**仏道修行によって得る法悦の世界で、凡人のうかがい知れぬ境地**なのである。

それを、仏道修行ならぬ〝初代の残した財産〟にあかして、凡夫の楽しみをむさぼろうというのだから、没落の仏罰は当然かもしれない。

「滅法《めっぽう》」強い　法を滅するとなぜ強い？

仏教では、すべての現象が内的原因の〝因〟と、外的原因の〝縁〟で成り立っていると説明する。結婚すると、一方の内的原因を助けて、一方の外的原因が働いて子どもという結果が生まれるのだから、まさにこれは〝因縁〟である。

ところが、多くの人の中には、人間ばなれした人がいて、こうした**理《ことわり》とはまるで無関係なような、図抜けた力を示す**ことがある。〝因縁〟の法則から外れるので、「滅法」強いということになるが、果たしてこうした強さはいつまで続くことか。

やはり、〝因縁〟の法則に従うのが仏の道というものだ。

「どさくさ」にまぎれて　どさって何？

時代の最先端を行っているつもりの若者たちのあいだで、妙な言葉がはやったことがある。マネージャーをジャーマネ、ピアノをヤノピと、ひっくり返して言うだけのことだが、これが格好いいとされた。

しかし、得々として使っている人には申し訳ないが、こうした言いまわし、今に始まったわけではない。

江戸時代に、佐渡金山《さどきんざん》の人足を確保するため博徒狩《ばくと》りを行なった。このとき **〝佐渡〟をひっくり返して〝ドサ〟と呼び、語呂をよくする〝クサ〟をくっつけた**のが「どさくさ」の由来。賭場《とば》の大混乱は、まさに「どさくさ」の名に恥じなかったろう。

「つかの間《ま》」

どのくらいのあいだ？

テレビコマーシャルの影響で、ウイスキーを飲むとき、〝ツーフィンガーでね〟などと頼むのが若者たちのあいだで流行したことがある。新しい言葉を気取って使うことで、時代の先端を行っているつもりなのだろうが、このような表現は、日本には昔からあった。「つかの間」の〝つか〟がそれだ。

〝つか〟は〝束〟と書くが、これは長さの単位で、一束は指四本分の幅に当たる。指の幅は、昔からものを測るのに使われていたのである。このように、**一束は短いものを測るところから、時間がごく短いこと**も「つかの間」と言うようになった。流行語は、「つかの間」のうちに消えることが多い。

何を言ってもいいか？

「標榜《ひょうぼう》」する

昔、中国では、善行をなした者がいると、それをほめて、事のしだいを立札に掲げ、多くの人に示したという。立札のことを〝榜〟、しるすことを〝標〟というところから、**善行を広く知らせること**を「標榜」と言うようになった。

ここからさらに意味が広がり、主義主張や立場を公然と表明することを指すようになったと言う。それにしても「標榜」されるものの中身が問題だ。〝国民のため〟や〝消費者優先〟〝ゆとりある教育〟といったスローガンは、それぞれの主張を「標榜」しているわけだ。「標榜」するだけでなく、事を実現できれば〝善行〟に匹敵する。

「えい、えい、おう」とだれに叫ぶ？

「鬨《とき》の声《こえ》」

鯨《くじら》の出産期は五月ごろ。岸近くで出産し、母鯨はいったんその場から去ってしまうという。そして、八月ごろに子を迎えにくる。そのとき、母鯨は大声で子ども鯨を呼ぶのだそうだ。その声を〝鯨波《とき》の声〟と言った。

「鬨の声」と言えば、戦国時代の合戦の際、**開戦時に大将が〝えい、えい〟と発声し、全軍が〝おう〟と応《こた》える叫び声**のことだ。

それがこの〝鯨波の声〟から出ているとすれば、母鯨は、捕鯨船と戦うつもりだったのだろうか。捕鯨が禁止された今では、もう母鯨が子ども鯨を大声で呼ぶ必要はなくなった。

「耳《みみ》をそろえる」さぞかしよく〝聞こえる〟？

〝まっ白で四角い顔をしていて、耳が四つあるものなあに〟というナゾナゾをご存じだろうか。正解は食パンである。食パンのへりのことをどうして〝耳〟というようになったかわからないが、おもしろい言い方である。

同様に、大判や小判のへりのことも、かつては〝耳〟と呼んでいたと言う。だから、「耳をそろえる」と言えば、**大判や小判のへりをきちんとそろえる、つまり金額を不足なく整えることになる**。これだけ〝耳〟がそろえば、どんな注文もさぞかしよく〝聞ける〟ようになるはずだが、金《かね》に縁のない者がそろえられる〝耳〟は、せいぜい食パンの〝耳〟ぐらいか。

「旗色《はたいろ》が悪《わる》い」

旗の色は変化するのか？

亀卜《きぼく》、易占《えきせん》に始まって粥占《かゆ》いや歌占いなど、わが国では古くからさまざまな占いが行なわれてきた。

その占いのひとつに〝旗占い〟というのがあった。ここで言う旗は、合戦場での軍旗のことだが、軍旗のひるがえる様子を見ることで、戦況を占ったのである。この旗のひるがえる様子が〝旗色〟である。〝色〟とは〝様子〟のこと。ここから転じて、〝旗色〟と言えば、**広く〝物事のなりゆきや形勢〟のこと**を指すようになった。

現代のビジネス社会で、戦況を占おうとすれば、社旗ではなく幹部社員の顔を見ることだ。もし顔色が悪ければ、会社の「旗色が悪い」こと間違いなし。

「金《かな》しばり」

金でしばられる人はどんな人？

密教の守護神に、不動明王《ふどうみようおう》というのがあって、庶民の信仰の対象になっている。この不動明王が悪魔を退治する威力の一つに〝金しばり法〟というのがある。

金《かね》の鎖でしばるように、**人に危害を加えるものを身動きできないようにする法**で、悪魔は逃げることができない。これから転じて、札束で守銭奴をがんじがらめにする意味に使われることもある。

いずれにしても「金しばり」にあうのは悪人だから、身動きできないような夢を見たときは、何かやましいことがないか、考えたほうがいい。

「三昧《さんまい》」

一味や二味はないの？

定年を迎えて一切《いっさい》の職から離れれば、時間が十分にあって、「読書三昧」の生活ができるかと言うとそうでもない。やっとまとまった時間を得て本を読もうとすると、三ページもいかないうちに証券会社から国債を買えなどという電話がかかってくる。「三昧」は、**仏教の言葉、サンスクリットの〝サマーディ〟に漢字を当てた**ものだ。だから、〝三〟とも〝昧〟(暗い、愚かの意)とも関係がない。

本を読んでいても、気が散るようでは「三昧」ではない。読書だけに精神を集中することが読書「三昧」だ。年をとると集中力もおのずから衰える。三時間の読書「三昧」ができたら一服したほうがいい。

「山彦《やまびこ》」返ってくるのはいつも男の声？

〃ヤッホー〃〃ヤッホー〃と、山に向かって発した自分の声が反響して返ってくる。それを〃木霊《こだま》〃とも「山彦」とも言う。

反響という物理現象であることを知らなかったころは、実に不思議なことだったに違いない。だから、昔の人は、これは**山に神がいて、返事をしてくれる**のだと考えた。神は神でも、これは男の神だ。「山彦」の〃彦〃は〃りっぱな男子〃のことで、今でも名前の一部に好んで用いられる。

声を返してくれるのは樹木の霊だろうと考えて言ったのが〃木霊〃だ。

いま、〃やまびこ〃は東北新幹線を往復し、〃こだま〃は東海道新幹線を往復している。

「澪標《みおつくし》」何の標識のことか？

『万葉集』にも出てくる、古い言葉で〃水先案内のために、水脈の標識として立てる杭〃、つまり、海上の道しるべのことである。おなじみの百人一首にある皇嘉門院別当《こうかもんいんのべっとう》の歌のように、〃みをつくしてや恋ひわたるべき〃と、和歌では〃身を尽くし〃と掛ける場合も多い。「澪《みお》」は**海や川の流れのあるところ。そこに船を通す**のである。「つくし」の「つ」は助詞で〃沖つ島〃というように、〃の〃の意。「くし」は〃串〃（杭のこと）の意。だから、「澪標」は〃水脈の杭〃ということだ。

同じ標識の「ブイ」に比べて、なんと雅《みやび》やかな言葉であることか。

「あみだ」にかぶる　仏さま流の帽子のかぶり方とは？

国民的な人気者になった映画『男はつらいよ』の主人公、柴又の寅さんは、その人柄のせいか、頭に後光がさすようになった。というと、意外な顔をする人が多いと思うが、実は、それは彼のあの特徴のある帽子のかぶり方による。

もちろん、あるときはコワモテを装って目深《まぶか》にかぶることもあるが、たいていは後ろにかたむけて陽気にかぶっている。このかぶり方を、俗に「あみだ」にかぶるという。

この「あみだ」は、あの仏さまの〃阿弥陀〃である。「あみだ」にかぶった**帽子を仏の後ろにある光背に見立てた**のだ。ケチなヤクザなどには、バチが当たりそうなかぶり方なのだ。

「筋金入《すじがねい》り」

体にギプスでもはめたのか？

阪神大震災のとき、ブロック塀が倒れて、けが人が出た。調べてみると、ブロックをただ積んだだけで、なかに補強用の鉄線が入っていなかったという。つまり、このブロック塀、「筋金」入りではなかったわけだ。

「筋金入り」とは、刀の鞘《さや》、槍《やり》の柄《つか》、杖《つえ》、門の扉などに、強度を増すために、針金や金の棒を入れたのが由来だ。

人間についても、**身体や思想がちょっとやそっとでは崩れない、そんな強さがある**ことを、「筋金入り」と言う。身体に「筋金」を入れるのには鍛練が必要だし、思想に「筋金」を入れるのにも修練が必要だ。鍛練や修練が「筋金」というわけだ。

「小糠雨《こぬかあめ》」

小雨、霧雨とどうちがうか？

〝あなたを待てば雨が降る／濡れてこぬかと気にかかる〟――古い話だが、フランク永井さんが歌った『有楽町で逢いましょう』の一節。〝こぬか〟は「小糠雨」にひっかけている。

小糠は**玄米を白米につくときに出る細かい粉末**のこと。だから、「小糠雨」とは、小糠のように細かい雨のことを言うが、霧雨よりは粒が大きい。

もっとも、東京など東日本の「小糠」は、西日本では単に「糠」と言う。だから、西日本で降るのは「糠雨」である。

『広辞苑』でも「糠雨」と「小糠雨」は同義語の扱いであるが、「糠雨」では、東京の有楽町で逢うことはむずかしい？

「大御所《おおごしょ》」

天皇の御所よりもっと大きいのか？

時代劇などでは、よく諸大名が徳川家康のことを「大御所」と呼んでいるので、「大御所」とは、家康の別名だと思っている人が多い。もっとも、江戸時代は特に家康と十一代家斉《いえなり》に用いているから、まちがいとは言えない。

親王や前将軍の居所、その敬称を、「大御所」と言う。「所」の上に「御」がつき、さらに尊敬の意を表わす「大」がつくのだから、庶民には手の届かない存在であることは確かだ。

そこから、**政界を引退しても隠然たる勢力を持っている人や、その道の大家として大きな勢力を持っている人**を、「大御所」と言うようになった。

「高飛車《たかびしや》」

駒が飛んでいく？

〝肩で風切る王将よりも、オレはなりたい歩《ふ》の心〟とは、北島三郎のヒット曲の一節だが、将棋の駒で飛車といえば、王将に次ぐ大将の位。尾崎士郎の『人生劇場』には、飛車角などというのもいた。

将棋でこのナンバー2を最初から動かすのは、ひじょうに積極的かつ高圧的な戦法と言われる。将棋用語でいうと**〝浮《うき》飛車〟で、自陣の前面に飛車を押し出す**ことだ。「高飛車」は〝浮飛車〟と同じで、これが相手に圧力をかけることから、〝頭ごなしに威圧する〟ことになった。

どの世界でも〝飛車〟くらいにならないと、「高飛車」には出られないものだ。

「奇《き》想天外《そうてんがい》」

アイデアはどこから生まれる？

湯川秀樹博士は、ノーベル賞の対象となった中間子理論をベッドのなかで思いついたというし、かのアルキメデスは、お風呂のなかでアルキメデスの原理を思いついたそうだ。というと、発想が生まれる舞台は意外なところにあるらしい。

〝ふつうの人が思いつかないような考え〟を「奇想」と言うが、こうした奇抜なアイデアは、〝奇想天外に落つ〟というように、〝天の外〟からふと降ってくるとされている。「天外」とは、**宇宙の果てのひじょうに遠いところ**という意味だが、湯川博士のエピソードのように、「天外」とは意外に私たちの身近なところを指しているのかもしれない。

「挙句《あげく》」どんな句を挙げるのか？

私たち学者のあいだでも評判になった俵万智さんのベストセラー歌集『サラダ記念日』は、およそ短歌などとは無縁な生活を送っていた人の中にも短歌熱を巻きおこした。あるサラリーマンなど、この本を熟読しすぎて電車を乗りすごし、「挙句のはて」に会社を休んで短歌づくりに熱中したと言う。

じつはこの人、期せずしてまことに「挙句のはて」らしい「挙句のはて」を演じたのだ。「挙句」とは、**連歌の最後の七七の句のことで、ここから物語の終わりを表わす**ようになった。短歌を連ねたものが連歌だ。短歌に魅了されたこのサラリーマン氏、「挙句のはて」にわれを忘れたと言う。

「ちゃきちゃき」 〝ちゃき〟って何？

〝江戸っ子〟と言われたら何を連想するか。それを〝わんわん〟〝にゃんにゃん〟といった言葉で答えるとしたらどうなるか。私なら江戸っ子は「ちゃきちゃき」と答えたい。

この「ちゃきちゃき」は、〝嫡々《ちゃくちゃく》〟から転じたもので、嫡流、正統、生粋《きっすい》、本場ものの意味がある。つまり、**嫡々とは、嫡子から嫡子へと家を継ぐ**こと。代々江戸に住んでいるから〝ちゃきちゃきの江戸っ子〟になったというわけ。また江戸弁は「ちゃきちゃき」という鋏《はさみ》の音のように歯切れがいいので、そこから来ているという説もある。どの語源説も「ちゃきちゃき」ほど歯切れはよくないようだ。

「大団円《だいだんえん》」 どんな「円」のことか？

最近はやりの職場ものドラマの最終回で、トラブルがすべて解決し、大勢が揃って乾杯した。このときだれかが、〝これで大団円だ〟と言ったのを聞いて、テレビを見ていた女の子が〝ほんとに大団円体だものね〟と感心したように言ったのには驚いた。

この「大団円」、〟大団体〟とは関係ない。「団」は団子からもわかるようにまるいこと、「円」ももちろんまるいことで、「大団円」は**〟大きくまるく、まるい〟つまり四方八方まるく収まること**だ。

もっとも三文芝居では、ここから、劇などで解決がつく最後の場面を言うようになった。最後に全員が顔見世《かおみせ》的に登場するから、〟大団体円〟である一面もある。

「先鞭《せんべん》をつける」

誰に鞭を当てるのか?

さるメーカーのトップが、技術開発についてのインタビューに、〟どうも最近の若者は、人のしていないことに挑戦してみようという意欲に欠けるようだ〟と発言していた。人のあとからついて行くことしかせず、「先鞭をつける」ような積極性がないというのだ。

〟先鞭〟とは、**戦国の武将が人より一歩でも先に敵陣に斬り込もうと、自分の馬に鞭すること**からきている。今の若者たちに、やる気を起こさせようと鞭うつのが、会社の幹部の役目になっているようだ。それにともなって、鞭うたれるのは、馬の尻から若者たちの尻にかわってきたのである。

あとがき

日本人だから、自分たちの言葉である日本語について知っているのは当たり前だ。ところが、外国人に質問され、得意になって説明しようと思っていても、いざその時になると、意外に私たちは自分たちの言葉について、あやふやな知識しか持っていないことに気づく。

外国人でなくても、ある言葉を取り上げて、この言葉の語源は何だろうと、興味を抱く人は多い。しかしながら、日本の言葉の学問は、語源研究に熱心ではない。江戸時代から、でたらめの語源説が行なわれてきた反動が、まだ続いている。

もちろん、すべての言葉について、語源がわかっているわけではない。また、同じ言葉についていくつもの説があって、定まっていないものも少なくない。

本書は、話題として面白い語源をおよそ三五〇項目とり上げて、解説したものである。一項目の前半は肩のこらない話で、後半分が言葉の説明という形になっている。一つ一つが三〇〇字程度の短さで、それこそひと目で読めるよう心がけた。

本書のオリジナル版を初めて世に出したときは、店番をしている商家の主婦たちに歓迎された。ごくわずかしか読書に充《あ》てる時間はないけれども、暇なときは暇で、何か読みたいと思っている人たちである。

読書が好きな、そういう人たちにとって、言葉の話題はまったく平和な世界を提供する。そこには不況も不運もない。争いやテロもない。

最後に、本書の刊行にあたっては、幻冬舎の福島広司氏と鈴木恵美氏の熱心なすすめがあった。編集していて目から鱗《うろこ》、ほんとうにおもしろかったと喜んで下さった。感謝申しあげる。

二〇〇二年二月

柴田　武

索引

〔あ行〕

〔か行〕

〔さ行〕

〔た行〕

〔な行〕

〔は行〕

〔ま行〕

〔や行〕

〔ら行〕

〔わ行〕

この作品は左記の書籍をベースとして、抜粋・再構成・再編集し、加筆・改筆のうえ、全体を一冊にまとめたものです。
『知ってるようで知らない日本語―3』（ごま書房　一九八八年）
『日本語なるほど事典』（ごま書房　一九九二年）

〈著者紹介〉
柴田 武　1918年、名古屋市生まれ。東京大学文学部卒業。国立国語研究所を経て、東京外語大学、東京大学、埼玉大学の教授を歴任。現在、東京大学名誉教授。専攻は方言地理学、社会言語学。長期にわたり、NHKテレビ『日本語再発見』に出演。85年、NHK放送文化賞を受賞。著書に『知ってるようで知らない日本語』『社会言語学の課題』『日本の方言』、共著に『ことばの意味』など多数。

GENTOSHA

常識として知っておきたい日本語
2002年4月10日　第1刷発行
2002年4月30日　第7刷発行

著　者　柴田 武
発行者　見城 徹

発行所　株式会社 幻冬舎
〒151-0051 東京都渋谷区千駄ヶ谷4-9-7

電話：03(5411)6211(編集)
03(5411)6222(営業)
振替：00120-8-767643
印刷・製本所：中央精版印刷株式会社

検印廃止

ISBN4-344-00168-0 C0095
幻冬舎ホームページアドレス　http://www.gentosha.co.jp/

この本に関するご意見・ご感想をメールでお寄せいただく場合は、
comment@gentosha.co.jpまで。